W9-CTF-220
VOLUME 41
コナン
DETECTIVE CONAN
KOKUYO
プルーン
DUSKIN
出口
Scomics
GŌSHŌ AOYAMA PRESENTS
青山剛昌

名探偵コナン
めいたんてい
VOLUME 41
DETECTIVE CONAN
青山剛昌
あおやまごうしょう

★前巻までのあらすじ★

小さな名探偵・江戸川コナン。実は高校生名探偵・工藤新一が謎の組織に毒薬を飲まされ小さくなった姿。居候先の毛利探偵事務所はGF(ガールフレンド)・蘭の家。世間から名探偵だと思われている父・小五郎はお調子者のヘボ探偵。弁護士の妻・妃英理とは現在、別居中。

ある日、大金持ちの藤枝幹雄の命を狙っている人物をつきとめたら、一千万円出すと依頼された小五郎。楽勝な事件と、派手な前祝いで散財するが、解決できずに800万の借金を作り、ショックのあまり泥酔。

その尻ぬぐいに、妻・英理が依頼者の元へ出向くが、なんとそこで新一の母・有希子に突然再会し…!?

名探偵コナン 41　　目次

■青山剛昌■

FILE.1 ママはライバル!?

フッ…

相変わらずの若作り…

でも、さすがの帝丹のプリンセスも年には勝てなかったようね……

あら…そのセリフそっくり返すわ…

コンサバメイクの年増の女王様？

もォ〜〜〜
有希ちゃん
久し振り
〜〜〜♡
うん
うん！
元気
してた〜？
え？
10年振りかしら？
英理ちゃんが
小五郎君と別れる
前だから…
バカね、
まだ別居中、
かろうじて
つながってるわよ！
でもプリンセス
なんて言われたの
高校の学園祭
以来よ！
懐かしいわね…
あの時の
ミス帝丹は、
姫と女王の対決で
盛り上がったから…
ミス帝丹？
そんなの
やってたっ
け？
そ、
そういえば
園子に聞いた
事がある…
20年前
帝丹高校を
震撼させた、
伝説のミスコンが
あったらしい
って……
3
対決したのは、
愛くるしい顔立ちに
天才的な演技力で
鮮烈なデビューを果たし、
世界中のマスコミの
注目を集めた…
帝丹高校の
プリンセスと、
卓越した頭脳で
東大入試問題を
パーフェクトに
クリアーし、
16歳で
ハーバード大学へ
留学を
勧められた
才色兼備の
帝丹高校の
クイーン！
でもまさか
その二人が…

お母さん達の事だったなんて…

ねえ…それでこの二人、どっちが勝ったの？

あ、うん…二人共有名だったから、ミスコンの噂を聞きつけた二人のファンが日本中から押し寄せて来てね……

パニックになる前に中止になっちゃったってさ！

なるほど…それ以来帝丹高校のミスコンはなくなったってわけね……

妃弁護士の知り合いみたいだけどォ—

幹雄ちゃんの愛人さんだったら素華、妻として困るしィ〜〜

藤枝素華(26)
藤枝幹雄の妻

そうなの？

違うわよ！

私は優作に頼まれて…

庭師の土肥さんでございます…
でもこんな夜遅くに何やってんの？
きっと念入りに手入れしているんだろう…
土肥耕造(61)
藤枝家庭師
明日は、死んだ姉の…
誕生日だから…
じゃあ僕は部屋で書きかけの原稿を仕上げているから…
植木さん、後は頼んだよ…
かしこまりました…
本当はもう少し美しい女性達に囲まれていたかったが残念だよ…
うーん、ホントに残念…
え？
何が？
だってお母さん達ミス帝丹で対決したんでしょ？結果が出る前に中止になっちゃうなんて…
あら…
結果は出たわよ…

へえ——
付け焼き刃で取り付けた割にはすごいじゃない…
この設備…
これでも少ないぐらいでございます…
いつもは誰がこのモニターをチェックしてらっしゃるの？
私やメイド達が交替で…
あ…
ちょ、ちょっと！
庭に誰かいるわよ!!
え？
ホラここ！
ニット帽をかぶった人影が…
ああ彼は…

只今、旦那様はオーディオルームでクラシックを聴きながら読書をされていますので…

一、二時間は待っていただかないと…

ゴホ

ゴホ

植木草八(69)
藤枝家執事

読書中に邪魔が入ると、幹雄ちゃんすごーく怒るのよ…

そう…

自分の命が狙われてるかもしれねーのにのんきなもんだ…

でも一人にしといて大丈夫？

なんならその様子を御覧になられますか？

見られるんだ…部屋に取り付けた監視カメラでね…

なるほどこれね…
この家の主人の藤枝幹雄さんの寝室の机の下に三日連続で置いてあったっていう二枚のメモ用紙と、使用済みの弾丸っていうのは…
楽にしてやる
後ろに気をつけろ
確かにただのイタズラとは思えないわね…
ええ…そして証拠の品はその三つだけ……これで犯人が突き止められたら奇跡だわ…
でもこの子がいるからその奇跡、起こっちゃうかもよん！
ハハ…
…そういえばあなた前の事件でコナン君と一緒だったそうね…
ええ！この子推理をズバズバ的中させちゃって…
お、おい…
さーすが私の…
私の…？
祖父の兄の娘のイトコの叔父の孫にあたる子って感じ！
へーそうだったの…
まあとりあえず、その幹雄さんに会って命を狙われる心当たりがあるかどうか聞いてみなきゃ、話は始まりそうにないわね……
それは無理でございます…

ええっ
ウソォ～!?
もう8百万も使っちゃったのォ～!?
シ――
シ――!
だから私が代理人として来たのよ!
それで？当の本人は？
探偵事務所で酔い潰れて寝ているわよ…
まあ、起きたくても起きられないでしょうけど…
え？
何だ？
毛利探偵事務所
お、おい…
ちょっと…
おお～～～い!!
私が帰って来るまで余計な事はしないでちょうだいね. 英理

ああ…もしかしてあなたが有希子さんですね？
え、ええ…
僕が優作君に今回の事件の謎を解いてくれと頼んだ藤枝繁です…
アイツ、今は手が離せないから、妻を代わりによこすなんて言ってましたがまさかこんなに美しい女性とは…
藤枝繁(42)
藤枝幹雄の義弟
まぁー♡
あら御存じないんですの？かつての銀幕のスター藤峰有希子を…
ホー　これは失礼しました…そっちの方面はどうも疎くて…
勇作君とはミステリー作家のパーティーで知り合った仲でね…
先日偶然LAで会った時に、亡くなった姉の夫である幹雄さんの命を狙う不届き者を突き止めてくれないかと相談したんですよ…
じゃあ、あなたも推理小説を？
ええ…彼のようにベストセラーはまだ出してはいませんが…
それに姉が亡くなった今となっては、この家に居候をさせてもらっている身…
夫の命を守るために、毛利探偵を一千万円で雇った新妻の素華さんと違って…
僕の場合は報酬なしの頼み事ですけどね……
い、一千万？
小五郎君、そんなにぼったくってるの？
ぼったくるだけならまだマシよ…

二人ともピッタリ一万票ずつで引き分け！
でも変なのよね…勝負がつくように用意された投票用紙は二万一枚だったのに一票足りなかったのよ…
その一票を巡って大騒ぎになって…
それでミスコンの表彰式が中止になったたわね…
……
アホらし…
でもその一票が入ってたらきっと有希ちゃん勝ってたわね！
バカねぇ、英理ちゃんには負けてたわよ！
ねぇ…その投票用紙って金色のハンコが押してなかった？
え、えぇ…帝丹高校の校章が…
それならお父さんの帝丹のブレザーのポケットに入ってたよ！
え!?
11
………
古着を整理してたら出て来たんだけど、
そっか、あの紙ミスコンの投票用紙だったんだ……
どっち？どっちの名前が書いてあったの!?
英理？私？どっちなの!?

あ、でも…お父さんそのまま洗濯しちゃったみたいで…
紙、ボロボロになってたから…
本当でしょうね？正直に言いなさいよ!?
いいのよ蘭ちゃん、お母さんに気を遣わなくても…
あ、いえ、ホントに…
まぁ本人に聞くって手もあるが…
て、手を…
え？
だ、旦那様が手を上げておられます!!
ちょっとどういう事!?
誰かが拳銃を持って部屋に!?
そ、そんなはずはございません…
さきほど私がコーヒーをお持ちして部屋から出た時には、
ちゃんと内側から鍵を閉められましたから…
ウ、ウソ…

う、撃たれた…
撃たれちゃったよ!!
あの部屋の合い鍵は!?
わ、私の部屋に…
すぐに取って来て!!
部屋の前に行ってるから!!
じゃ、じゃあ私警察に…
あと救急車も!!
急いで連絡してちょうだい!!
ん?
な、何かあったんですか!?

ドンドン
ドン
ドン
おい幹雄さん!?
大丈夫かい幹雄さん!?
ヤバイわね…
でも本当に幹雄さんは倒れたんですか？
ええ…手を上げた後に…
パーン
パーン
じゅ、
銃声!?
くそっ…
蘭、お願い…
うん！
ガチャ
ガチャ

お、
お願いって…？
タタッ
か、
鍵を…
お持ちしまし…

だ…
旦那様!?
最悪ね…
ええ……

FILE.2 疑惑の銃声

あれ？有希子さんじゃないか!!
それに妃さんも…
な、何をやっているんですか？二人そろってこんな所で…
あ、実は…
主人が受けた依頼の代理人として来ましたの…

2

確かに……
犯行時刻はそうねぇ…
午後8時頃だったかしら…
ええ…あの監視カメラの映像でモニターの部屋でみんなで観ていた時だったわよ……
みんなとは？
私達四人と幹雄さんの義理の弟さんと幹雄さんの奥さんと執事さん……
あと二、三人メイドさんもいました…

3

この状態だったというわけよ！
ちなみにドアを破ったのは…？
あ、わたしですごめんなさい！
警部！凶器の拳銃を発見しました！
おおそうか！
拳銃はコルトコンパクト45オート！
落ちていた薬莢も三つで遺体の背中の銃創の数と一致します！
どうやら犯人は外からこの窓ごしに被害者を撃った後、慌てて逃げたようですね…
となると外部犯の可能性も出て来たな…
でも何でしょうか？このこげ跡のついたタオルは…
多分、発砲時に拳銃に巻いて硝煙反応を消そうとしたか…
もしくは銃声を小さくしようとしたけど失敗したとか…
確か高木君と千葉君だったわね…
あ、はい…

とりあえず千葉君は拳銃ルートの割り出し！
高木君はこの近辺に不審人物がうろついていなかったか聞き込みを！
は、
はい…
急いでちょうだいね！人間の記憶は1分1秒たつにつれてどんどん薄らいでいくんだから！
ちょ、ちょっと…
あ、そうそう…
被害者の体に残っている弾丸と枕の下に置いてあった例の弾丸のライフルマークの照合もよろしくね！
もしかしたら脅迫した人間と実行した人間が別人かもしれないし…
さあ警部さんは鑑識さん達を連れて私と一緒にリビングへ…
事件後、この家の人間はみんなリビングで待機してもらっていますから…
全員の硝煙反応を調べた後に事情聴取を…
お、おい妃さん？
まあまあ英理も必死なのよ…
なんたって一千万が懸かってるんだから！
え？

ト、
トイレ…
も、もれる……
もれちゃう…
トイレ〜〜〜!!!
ホ――なるほどな…
毛利君は報酬の一千万をあてにして800万使い込んでしまい、是が非でも犯人を割り出して一千万を手に入れなければならんというわけか…
でもヤバ気味なのよね…
硝煙反応は誰からも出なかったし、命を狙われていた本人が殺されちゃったのに報酬なんてもらえるのかしら?
そ、そんな…
オホン!

では一人ずつ警部さんに話していただこうかしら…
幹雄さんがオーディオルームで手を上げて撃たれた8時頃から、私達が駆けつけて死体を発見するまでの約2分間、どこで何をやっていたか……
私は、あのオーディオルームの鍵を取りに私の部屋へ向かいました…
鍵を持って駆けつけた時にはもう手遅れでしたが…
植木草八(69)
藤枝家執事
わ、私は自分の部屋の電話で警察や救急車を呼んで…
その後は妃弁護士にこのリビングに呼ばれるまで部屋の中でじっとしてたわよ…
藤枝素華(26)
藤枝幹雄の妻
ホ――…ご主人が撃たれたというのに駆けつけなかったたんですか？
だって拳銃を持った人がうろついているかもしれないのよ？
怖いじゃない!!
そりゃそうだが…
それに私は執事さん達とモニターで幹雄ちゃんが撃たれて倒れたところを見ているのよ!?
疑うんなら倒れるちょっと前にモニターの部屋を出て行ったこの繁さんじゃない？
そうなんですか？

ええ…書きかけの原稿を自分の部屋で書くために…

でもその後、妃さん達が廊下を走る音に気づいてオーディオルームに一緒に向かいましたよ…

藤枝繁(42)
藤枝幹雄の義弟

部屋の前で二発の銃声を彼女達とちゃんと聞きましたから…

僕に犯行は無理ですよ…

じゃあ部屋に入った時、犯人が走り去る音とか聞きませんでしたか？

いや…特には…

クラシックの曲がかなり大きな音でかかっていたので…

ホ──…

あ、警部さんちょっと座っていいかな？

妃弁護士に警察が来るまでこの部屋から動くなと言われてからずっと立ちっ放しなんで……

ええ構いませんよ…

執事さんやメイドさん達もどうぞ……

…………

土肥耕造(61)
藤枝家庭師

ああ…彼は庭師の土肥さんよ…

庭師？

な、
なるほど………
撃たれた時には庭にいるようだ…
ん？だがその直後姿が見えなくなっているじゃないか！
あら、でもライトは写っているわよ！
光がチラチラ動いているからそばにいるのは確かよね？
しかし光だけというのは気になるな…
そういう仕掛けを用意していたかもしれんし……
よーし一応庭を調べろ！
妙な物をみつけたらすぐに報告を！
はっ!!
ウーーム…全部の部屋に監視カメラがついていれば、いつどこで誰が何をやっていたかわかったんだが…
仕方ありませんわ、プライベートな部屋に監視カメラはつけないでしょうから…
でもこの映像でわかったでしょ？
外部犯の線が薄くなり、内部犯の可能性が高まったって…
え？

だって監視カメラがこんなにあるのに怪しい人影はどこにも写ってないもの！
監視カメラの位置を熟知した人物の犯行としか考えられなくてよ！
た、確かに…
残る容疑者はメイドさん達だけど…
犯行時は全員二人以上で行動していたらしいし……
じゃあ動機の線から責めてみようかしら…
そうね…あのメイドさん達色々知ってそうだし…
あ、あの…お二人さん？
………
あらコナン君、今日は大人しいのね？
いつも現場ではしゃいでいるのに…
あ、うん…
この二人が言いたい事ほとんど言ってくれちゃってやる事がねーんだよ…
でも妙な事件だな…
メイドを除く四人の内の執事さんと素華さんは、一発目の時オレ達とモニターを観ていて二発目と三発目の時のアリバイがなく…
土肥さんは一発目の後ライトだけで姿が見えず…
一発目の時のアリバイがない繁さんは、二発目の時にはオレ達と一緒にいた…

…って事は
あの監視カメラの映像か、もしくは二発目と三発目の銃声がトリックだとしたらアリバイは崩れるはず…

引っ掛かるのは次の二点…
一発目と二発目の撃つ間隔がなぜか2分近くあいていた事と、

幹雄さんが撃たれる直前まで読んでいた本に、しおりのヒモがはさんであった事…
拳銃で脅されていたはずなのに何であんな事を…

え？旦那様を一番恨んでいた人？

そりゃ執事の植木さんじゃない？
使いもしないほこりまみれの倉の大掃除をさせられて喘息が再発しちゃったんだもの……
ゴホ

若奥様は旦那様を恨んではいなかったみたいだけど、遺産目当てで結婚したのはみえみえ…
もしかしたら旦那様が亡くなって一番喜んでいるのは若奥様かも……
そうそう庭師の土肥さん、若奥様の事をすごい顔でにらんでたわね…
当たり前よ！この家を建て直すついでに庭を潰してプールにしてってって旦那様におねだりしてたんだから…
おまんらそこで、
何しよらあ!!
え？
す、すみません…そこは亡くなった奥様が一番大切にしていた花壇ですので…
あ、でも…
もういい引き上げろ!!
……

ひょっとして
高知の人？
え？
私、鷹匠町に
おったき！
鷹匠町かよ！
そらたまるか、
奇遇じゃのう！
あしゃあ
上町じゃき！
いやぁ上町かえ？
私、こんまい頃
ようあこの鏡川へ
泳ぎに行ったで！
ほうかよ！
鏡川は、げにまっこと
きれいな川やったきのう、
坂本龍馬も、あこで泳げる
ようになっちゅうがよ！
と、
土佐弁？
有希子って
高知生まれ
だった
かしら？
いや…
女優やってた頃、
龍馬の姉の乙女役を
やった事があって
その時に
覚えたん
だよ…
こーいう事には
天才的だから
熊本弁、東北弁
名古屋弁なんかも
ペラペラ…
新一兄ちゃんが
言ってたよ！
へぇ——
…で？
収穫は？
ええ…
非常に
興味深い事を
言ってたわ…

銃声が聞こえたのはガラスが割れる音がした数秒後だったってね!
え?
どういう事?普通、銃声と一緒にガラスが割れるんじゃなくて?
さあ…拳銃でガラスを割ってから撃ったのかも…
ちなみに土肥さんが無口になったのは幹雄さんに土佐弁をバカにされたから…
それ以来、東京者とは口を利いてやるものかって思ってたそうよ…
でも気になるわね、そのガラスが割れる音…
それって当然一発目の銃声が鳴る前でしょ?
それが何発鳴ったかはよく覚えてないらしいのよ…
てっきり近所の悪ガキが爆竹でも鳴らしているんじゃないかと勘違いして、
気にも留めなかったらしいから…
もしかして優作のヒントと関係があるのかなぁ?
あら、旦那に連絡したの?
うん…ついさっき電話で…
事件のあらましを説明したら、優作ったら笑いながらこう言ったのよ…

間違った道しるべ…
そう伝えてくれ…
ーってね…

FILE.3
闇の男爵夫人登場！

なあ
警部さん…

取り調べは
もういいんじゃ
ないか？

2

素華さんと
植木さんは、
モニター室で
妃弁護士達と
手を上げて
撃たれた
幹雄さんの
映像を
観ていたし、

その時、
庭師の土肥さんは
庭の手入れを
している様子を
監視カメラに
撮られていた…

そして僕は
その後の二発の銃声を
犯行現場である
オーディオルームの
ドアの外で、駆けつけた
妃弁護士達と聞いていて、
メイド達は、その時
二人以上で行動して
いたんだよ？

僕達には無理だよ…幹雄さんを撃ち殺すのは……

警部!!

付近の住人に話を聞きましたが…

不審な人物を見かけた人は誰もいないようです!

ウ―――ム…

それと、拳銃の入手ルートはまだわかりませんが、

殺人に使用された弾丸と、脅迫に使われた弾丸は同じ拳銃から発射された物とみて間違いないそうです…

3

ポカ
かっ…

え!?
「え?」じゃないわよ!
一人だけわかったような顔しちゃって――

いーじゃねーか、わかったんだから…
じゃあ教えてくれる新ちゃん♡探偵役が欲しいでしょ?

4

調査調査って、硝煙反応の検査も事情聴取も終わったじゃない!!
ごまかさないでくれる!?
パチ
そう…
私達は犯人によってごまかされたのよ…
まるで幹雄さんが窓の外から拳銃で脅されて射殺されたかのように……

5

この闇の男爵夫人（ナイトバロニス）の……
プライベートアイはね!!!
カッ
おいおいおい…
カチ
どっから持ってきたんだこのライト…
じゃあ、まさか有希子…
わかったんですか、犯人が!?
ええ、もうバーッチリ♡
だが犯人は何を偽ったというんだね？
まさか監視カメラとか？
だまされていたのはそのずっと前……
チラ
チラ
6

犯人は幹雄さんの枕の下にあの二つのメモと使用済みの弾丸を置いた時から、私達をミスリードしていたのよ……

あたかも拳銃で射殺するかのように匂わせる、間違った道しるべを置いてね……

し、しかし、幹雄さんは本当に撃たれたじゃないか！脅されて手を上げておったし…

確かにそう見えたわね…

気づいた？目暮警部…

幹雄さんが撃たれる直前まで読んでいた本にしおりのヒモが挟んであったのを……

そ、そういえば…

普通、しおりは読み終えたページに挟む物…

拳銃で脅されている人がそんな悠長な事しないわよね？

7

そうよ！
幹雄さんが両手を上げたのは拳銃で脅されていたためじゃなく、
ただ立ち上がって、背伸びをしただけだったってわけ！
アハハ…バカね！その後、幹雄ちゃんは倒れたのよ？背伸びしたぐらいで倒れるわけが……
背伸びじゃなく立ち上がった事に問題があるのよ…
たまにいるでしょ？急に立ち上がった後、立ちくらみや失神する人…
あれは長時間座ってた人が急に立ち上がる事によって心血管系への負荷が掛かり過ぎるのを体が察知し、
一気に血圧や脈拍を低下させる発作が起こるために生じる現象……
で、でも、あんなにタイミングよく失神するなんて…
そうさせやすくする薬があるのよ…
薬品名はイソプ…
イソプロ…
イソップ？
8
イソプロテレノール…
失神の誘発試験に使う薬よ！

これは、
失神や目まいの
患者に投与し、
失神を起こし
やすくして、
パク
パク
その原因が脳や
心臓の疾患ではなく、
自律神経の
発作であるかどうか
調べる薬品なのよ！
なるほど？
その薬の効力で
立って背伸びした
直後に失神させ、
拳銃で狙われて
いるという先入観を
持っている私達には、
手を上げて撃たれて
倒れたように見えた…
そういう
事でしょ？
有希子…
ええ…
あの時点ではまだ
撃たれていなかった
って事よ！
でも、それだけじゃ
まだ不十分と
感じた犯人は…
ある一言で
確実に私達を
間違った道に
誘導したのね…
「旦那様が
手を上げた」
ってね……
え？
じゃあ、
まさか…
犯人って…

つまり、そうやって自分にアリバイを作り幹雄さんが倒れた部屋に私達が向かっているスキに鍵を取りに行く振りをして外からその部屋へ回り、

失神している幹雄さんに窓越しから三発の弾丸を撃ち込んだのね……

そして家に入り、鍵を持って何食わぬ顔で部屋に駆けつけた…

もちろん、鍵は前もって持っていたんでしょうけど…

しかし変じゃないか? 君達が部屋の前で聞いた銃声は二発だったんだろ?
あら、さっき報告を受けられたでしょ? 三発の内の一発にライフルマークの他に浅いスジがついていると…
それに、庭師の土肥さんが聞いていたのよ…
ガラスが割れる音がした数秒後に…銃声が聞こえたって……
さらに、幹雄さんが撃たれた部屋にはクラシックがかかっていた事を踏まえると…
もうおわかりになりますわよね?
そ、そうか…
消音器だ!! 一発目は消音器をつけて撃ったからガラスが割れる音しかしなかったのか!!
そうすれば、消音器に弾がこすれて浅いスジが残るし、消音器の音なら部屋にかかっていた曲で消せるしな!!
じゃあ、硝煙反応を消したのは、やはり例のタオルをその拳銃に巻いて…
とにかく家の中や庭を徹底的に捜して消音器を…
その必要はないわ…
え?
だって、消音器はまだ執事さんが隠し持ってるはずだもの…

多分、靴下の中に…
け、警部ありました!消音器です!!
だが何で靴下の中にあると?
彼、座るの遠慮してたでしょ?
だからピンときたのよ!
座らないのはズボンのスソがめくれて、そこに隠している何かを発見されてしまう恐れがあるからじゃないかって…
ちょ、ちょっと!火傷しているじゃないですか!!
………
このくらい我慢できますよ……
亡くなった奥様の庭をお守りするためなら…
に、庭を!?
はい…
あれは奥様が幼少の頃からお手入れされてきたお庭……

12

まさに、あの聡明な奥様そのものでございます……
今もどこかにいらっしゃるような気がしてなりません……
その庭を失う事は長年お仕えした私には命を取られたも同然の事……
しかも、その行く末がこの家にゆかりもないあの冷酷な旦那様の手に委ねられているという事がどうにも許せなくて……
最初で最後のわがままを……
申し訳ございませんでした……
なーーんだ、犯人あんただったんだーー!!
幹雄ちゃんの命を狙っているのは、てっきりその奥様の弟の繁さんだと思ったのに〜〜〜!
これで遺産の取り分減っちゃったじゃなーい!
せっかく探偵雇ってシッポつかんで家から追い出してやろうと思ってたのに大失敗〜〜〜!!
あら、遺産相続の配分は、幹雄さんに親や兄弟がいない場合、妻であるあなたに全額渡って、前妻の兄弟にはいかないはずだけど……
ホントー♡
なーんだ、素華勘違いしてた〜〜〜!
ただし、これは幹雄さんの遺言がない場合……
え?
幹雄さんの顧問弁護士が私の知り合いでね……
気になったから、さっき電話して聞いてみたら、遺言の最後にはこう書いてあったらしいわよ……

ただし 私の命を守れなかった者には遺産は一切与えず、国に寄付すること…

——ってね…

国に寄付すること。
右遺言を明確にするため、遺言者は、この遺言書を作成し、左に署名捺印する。
十一月一日
二丁目四三番地
遺言者 藤枝幹雄

ええ!?

うそォ!?

まあまあ、裁判にすれば勝てるかもしれないから…

いいわよ裁判なんて! どーせ幹雄ちゃんが私に買ってくれた物は私の物なんだから…

全部安く売っても一千万ぐらいにはなるし—— 海外旅行にでも行っちゃうもの…

ごめんなさいね… その一千万、今回の犯人を突き止めた報酬として頂くわ…

え~~~ 何で~~~!? 突き止める前に殺されちゃったくせに~~~!!

スッ

ホラ、契約書には対象の命を守ってくれとまでは書いてないでしょ?

あなたの署名と捺印もバッチリ!

そして翌日…
はい！
借金を引いた残りの194万3千円…
ありがたく思いなさいよ！
あ、ああ…すまねえな……
あら、何か変な臭いしない？
ペットでも飼ってるの？
あ、ああこれはな…
今朝来た依頼人が連れてた犬がやらかしやがってよォ…
ふーん……
それより有希ちゃん、久し振りだなー！
どうしたんだ急に…
あ、うん、ちょっと小五郎君に聞きたい事があって…
あん？
ホラ、英理ちゃん聞いてよ！
やーよ！有希ちゃんが聞こうって言い出したんでしょ？
………

15

帝丹高校のミスコンで、おじさんがどっちに投票しようとしたか知りたいんだってさ!!
ああ…20年前のあれか…
ありゃー確か…
ま、多分英理ちゃんね……
この二人、ラブラブだったもの……
どーせ、有希ちゃんでしょ？
信じられない程可愛かったから…
英理の方だったよ！
え？
16
あ…
ズズ…
あなた…
それがなあ…
オレその頃硬派だったから…
その手の事には無知でよォ…

ミスコンのミスをミステイクのミスだと勘違いして…
思わずドジな女の方の名前を書いちまったってわけよ!!
え?
まぁ途中でバカらしくなって投票するの止めちまったけどな…
じゃあ、ミスコンの意味知ってたらどっちに入れたのよ?
そりゃーもっちろんめちゃめちゃプリチィだった、
有希ちゃんの方に決まってるじゃねーか!!
あらー♡
ポッ
あ、でも…英理の方もガリ勉の割には意外にイケてたような…
ピキ
………
スッ
17

あ、そうそう、今回、あんな危険な依頼を手伝った報酬として、有希子と二人で一割の100万もらっておくわよ…
ひ、一人50万かよ!?
じゃあ、わたしも居酒屋とスナックとポアロのつけと…
お父さんのおこづかいの前借り分と今月と来月の生活費と…
あ、コラ!!
ズボンのクリーニング代を…
しめて93万8618円…
はい、お釣り…
チャリ
お、おい…
よ、4382円しかねーじゃねーか!!
じゃあ有希ちゃん、いい服買っておいしい物でも食べに行きましょ!
行こ行こ!
おお〜い!?
で?どっちが勝ったのミスコン…
微妙ね…

18

FILE(ファイル).4 暗闇(くらやみ)は死の罠(デストラップ)の扉(とびら)

ゴオオオオォ
いやっはァー!!
おいおい 他にレンタカーなかったのかよ?
いーじゃない! この車の方が私に向いてるしィー♡
…にしても、ちょっとスピード出し過ぎじゃねーのか?
大丈夫! ネズミ捕りしてないか、ちゃんと気をつけてるから…
2
バーロ! 気をつけるのは警察じゃなくてスピードメーターだろーが!
♪～
あの――…

ボク達、これからどこに行くんですか？
そろそろ教えてくれよ！
ね、お願い!!
みんながすっごく喜ぶ所よん♡
もーいじわるだね、コナン君のお母さん！
だから母さんじゃなくて親戚のオバサン…
クス…
…お姉さんだよ……
ギロ
ピリリリ
ピリリリ
はい…ああ、唐田さん！
え？タイミングに手間取って0号の時間が延びそう？
OKOK！とにかくそっちに向かってるからヨロシクねー♡
何なんですか0号って？
ロボットの番号じゃねーか？
教えて〜!!
キル
ひ・み・つ♡

どーせ「仮面ヤイバー・ザ・ムービーII」の初号試写でも観に行くんだろ？
え？
ホ、ホントですかー？
すげぇ――!!
観たい観たい♡
ど、どうしてわかったの？
タイミングっていうのは映像の色の補正の事で、
0号っていうのは、できたてほやほやの映像作品。つまり最初にクライアント達が観る、初号試写にかける前にスタッフだけで観てチェックするフィルムの事…
どっちも映画やドラマの制作にかかわった人しか使わねぇ業界用語だ…
んで、みんなが喜ぶ映画っつったら、正月に封切りになる「仮面ヤイバー・ザ・ムービーII」ってわけさ！
4
その0号をオレ達も観られるって事は、公開が迫ってて時間がねぇから、0号を初号試写に回したってところかな？
ピンポーン、さすがね！
ねぇ…もう信号とっくに青になってるよ…
え？ウソ…
やべ、黄色に変わっちまったぞ！

ごめんなさいね…
うっかりしてたわ…
カコン
ギャギャ
うわっっ
おい！いー加減にしろよ！子供が乗ってんだぞ!!
OK OK！
おー　すっげー!!
まるでジェットコースターです――！
ギャギャ
おい!!
♪〜
面白いね、コナン君のお母さん！
だから違うって…
5

よォ
有希子ちゃん
久し振り!!
ー東都現像所ー
相変わらず
美人だねぇ!
ええ、
もっちろん♡
彼が
ヤイバーの
新作映画を
観せてくれる
唐田さんよ!
初め
まして!
彼の仕事は
タイミングマンで、
私が出た映画を
いつもいい色で
仕上げて
くれてた
のよ!
ハハハ…
唐田敬善(46)
タイミングマン
え?
じゃあ…
女優さん
だったの?
そうよん!
もしかしたら、
あなた達の
お父さんや、お母さんの
憧れの的だった
かもね〜〜〜♡
なるほど
ね…
あん?

推理力は父親譲り…

目立ちたがり屋で自信家で、変声機を使ったあの演技力…

おまけに、カッとなったら後先考えずに行動する危なっかしい所は…

母親からの遺伝だったのね…

悪かったな…

それで？0号試写、いつになりそう？

それが、まだかかりそうなんだ…
夜7時頃にはなんとかなると思うんだが…

すまないが、それまで待っててくれるかな？

ここの見学でもして…

オッケー！

あ、穂島君と根上さん！

悪いけど、有希子ちゃんとこの子らに現像所の中を案内してくれないか？

7

ここがこの後みんなが仮面ヤイバーの映画を観る試写室！
ここは暗室！
撮りたてのフィルムを現像機に入れる前に、傷がついていないかチェックする部屋！
そしてここが35ミリのポジの現像機だよ！
どうだ？メカがいっぱいで面白いだろ？
うん！
研究所みてーだな！
ビーーッ
ビーーッ
何ですかこの音？
これから暗室を出入りするから二重扉を不用意に開けないでくれって合図だよ…
フィルムのチェック中にわずかな光でも入ったら、フィルムが感光してダメになっちゃうからね！
そうやってフィルムのチェックをした後、ネガの現像機でネガフィルムにしているのがこの現像マンの根上さんで、
そのネガをポジにしているのが焼き付けのオレの仕事！
そして、そのフィルムを編集したり音を入れた後で、色の補正をして仕上げるのが、さっきいたタイミングマンの唐田さんってわけだ！

へ――…
でもどーしておじさんだけ「マン」がついてないの?
え?
そういえば、焼き付けマンとは言わないなぁ…
そ、そうっスね…
もしかして、お前だけ弱いんじゃねーのか?
よ、弱いって…アンパンマンじゃあるまいし…
おっと、もう6時40分だ…
そろそろ試写室に入ってようか…
その試写、まだ当分先になりそうだぜ…
え?
唐田さんの話だと、早くても夜11時だそうだ…
まあヘマって現場から外された俺には関係ねぇ事だがな……
古村徳宏(39)
営業
眠そうっスね!
また麻雀か?
まあな…
でも困ったわ…
11時だと、帰りの飛行機に間に合わないし…
子供達をそんな時間までここにいさせるわけにいかないし……
じゃあ、僕の部屋で子供達を預かりましょうか?

僕のマンションすぐそこなんで…
試写まで寝かせて、観終わったら車で送りますよ！
じゃあ、お願いしちゃおっかな？
でもあんな汚い部屋に子供達を泊める気か？
ひどいなぁ…散らかってるだけで、汚れてはいませんよ…
まぁ子供達がよければだけど…
ねぇ泊まって観よ！コナン君！
明日は日曜日ですし…
学校のみんなに自慢できるしよー！
んじゃ、遅くなるって家の人に電話するんだぞ！
うん！
………
そうと決まれば、ちゃっちゃと仕事を済ませて、俺達も一眠りするか!!
そうっスね！恒例の完成記念の徹マンに備えて!!
テツマンって何ですか？
現像マンの仲間か？
ハハハ…徹夜で麻雀する事だよ！
し・ん・ちゃん♡

あんだよ？
なによもう！
モテモテじゃない♡
ああ…歩美ちゃんか…
それともう一人…
は・い・ば・らさん……
ええ!?
彼女、今日新ちゃんの顔10回は見つめてたわよ！
ハハ…どーせ自分が作った薬の被験者の成長過程を監察してたんじゃねーのか？
バカね！女の子が男の子を見つめるのは…
その子の顔に何かついてるか、その子に恋してる時って決まってるんだから♡
あの灰原が？
まさかぁ…
それより、ちゃんとまいたんだろーな？
ここに来る途中のあの妙な車…
あら、やっぱり新ちゃんも気づいてたの？

当たりめーだよ…信号が
青から黄色になるまで
ずっと停まってたのに、
オレ達の後ろの車が
クラクション一つ
鳴らさなかったのは
オレ達にその存在を
印象づけたく
なかったため…
つまり尾行してる
って事だ!
あの車、
随分前から
オレ達の車に
張り付いて
いたしな…
そうなのよ…
私もそう思って、
赤になる直前で
発進させたん
だけど……
何者
かしら?
そうだな…
あの車が
追ってた
標的が…
オレか、
灰原だと
すると…
尾行してたのは
奴らの可能性が
高い…
オレの
体を小さく
しやがった…
あの
黒ずくめの
男達のな…
いや…
もう一つ
可能性が
あるわ…
え?
あの車に
乗ってた人物が
もしも……
12

私の大ファンだった場合よ!!
は?

想像以上の散らかり具合ですね…
ちゃんと片付けろよな…
だったら寝る前にみんなでお掃除しよ！
ダメダメ触っちゃ！どこに置いたかわからなくなっちゃうから…
んじゃ俺達はソファーで寝てるから…
ガラ
ボウヤ達はこの俺の寝部屋で…
このベッドで横に並べば、子供5人ぐらい寝られるだろ…
今日も一日ご苦労さんでした！
今夜の徹マンがんばるぞー！
何やってんだ？
最近アイツ、ビデオで日記つけるのがマイブームになっててね…
それじゃあ、私はまだ仕事が残っているから戻るよ…
ういっス！

わーどうしよ、
ワクワクして
眠れなーい！
確か、
ジャガイモ男爵の
逆襲だった
よな？
違いますよ…
予告で流れていた
サブタイトルは
確か…
確か…
あ～～くそっ!!
ジャガイモ女王の
鎮魂歌だよ！
そんぐらい
覚えとけ！
くー～っ
——って、
寝てるし…
仕方ない
じゃない…
子供なん
だから…
……
私達と
違ってね…
あのよ
灰原…
ちょっと…
ちょっと
聞きてー事が
あんだけど…
え…？

オレの顔に何かついてるのか？

はぁ？

チッ
チッ

16

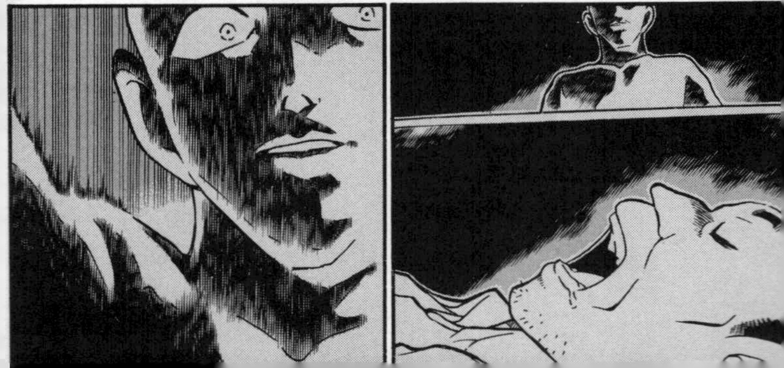

ぐぉっ
ふぁ…
カチ
なんだ今の…
ちょっと古村さん?
どうかしたっスか?古村さん!?
カチ

18

FILE.5
暗闇の音なき殺人

殺害されたのは古村徳宏さん39歳…
このマンションの向かいの東都現像所に勤めていたそうです…
ウーム、心臓を包丁で一突きか…
どうやら毛布の上から刺したのは、返り血を防ぐためのようだな…
2
被害者が所持していた免許証によりますと、自宅は杯戸町のようですね…
杯戸町？ここは鳥矢町だぞ…
あ、いや…
たまたまオレの部屋に仮眠をとりに来たんスよ！
今夜、映画のフィルムが完成したらその記念に徹マンをやる予定だったから…
穂島朗(28)
焼き付け

映画？
「仮面ヤイバー・ザ・ムービーⅡ」っス！
ホラ、正月に封切りになる…
その映画の試写が夜11時ぐらいに延びたから…
一緒に仮眠をとってたんスよ…
この子達もね…
なるほど…
それで？
君達が寝てたのはどの部屋だい？
隣のその部屋だよ！
あのベッドに5人が横に並んで寝ていたんです…
そうしたら急に、「ぐあっ」って大きな声がして…
扉を開けて明かりをつけたらこの有様だったってわけ…
ホー…
でも、おかしいんだよ。
え？
何がだい？

犯人の音がしなかったんだ……

全く…

そりゃー寝てたからで…

いや…古村さんが刺されて大声を出した後だよ！

普通犯人が部屋を立ち去る音ぐらいいするはずなのに……

そばのソファーで寝ていた穂島さんの…

「どうしたんですか？」って声は聞こえたけど、物音は何も……

なあ？

うん！

シーンとしててよー…

他に人の気配は感じられませんでした。

たぶん君達が寝ぼけていたからだろう…

きっと犯人は抜き足差し足でこっそり出て行ったんだよ…

暗闇の中、この散らかった部屋から短時間で物音を立てずに逃げるのは…

不可能なんじゃないかしら？

じゃあ犯人はあなたしか考えられんじゃないか!!

ドアの鍵穴にこじ開けた跡もありませんでしたし…

ええ!?古村が殺された!?

聞かせてもらいましょうか?

この部屋の合い鍵を持っていた理由と、

犯行時刻の午後10時55分頃、どこで何をやっていたのかを……

唐田敬善(46)
タイミングマン

タイミング?

映画やドラマなんかの色の補正の事っスよ…

それを証明できる人は?

他にも二、三人仮眠室にいましたけど…

みんな寝ていたから…

わ、私はその頃暗室にこもってフィルムのチェックをしていたんですが…

根上慶彦(42)
現像マン

残念ながら一人でやっていたので…

ホー

では二人共アリバイはないんですな?

は、はあ…

で?合い鍵を持っていた理由は?

すぐに麻雀ができるようにするためです……

先に仕事を上がった奴が、ここに来て仕度をする事になっていましたから…

ホラ！
この部屋、ホントに真っ暗だよ…

コラ！
カチ
ダメだよ、刑事さんの邪魔をしちゃ……
だが、確かにコナン君の言う通りだな…
そうですね…あんなに真っ暗じゃ、いくら慣れていても絶対何かにぶつかりますね…

でもホントに真っ暗だったね…
ええ…普通外の街の明かりとか入って来るんですけど……
あ、オレ仕事柄真っ暗じゃないと映画を観る気にならないんだ……
だから分厚いカーテンをつけてるんだよ…
ビデオやDVDのデッキのランプも気になるから、いつも何かでふさいでるしな…

警部！ちょっと…
ん？

遺体のシャツの第三ボタンが引きちぎられています……
ウーム…どうやら被害者は刺される前に犯人ともみ合ったようだな……
しかし、随分シャツが汚れているな…
エリ首とか真っ黒だ…
古村さん風呂嫌いで、週に一回ぐらいしか入らないんっス…
そういえば、三日前にこの四人で卓を囲んだ時もこのシャツだったな…
じゃあ、あの時のままか……
とにかくオレには無理っスよ…いくら隣で寝てたからって…
あんな真っ暗な中で、もみ合ってボタンを引きちぎったり、刺したりするなんてできないっス！
だがその時、起きていたのがあなただけなら…
懐中電灯か何かで被害者の位置を確認して近寄る事はできるじゃないか…
それに子供達は犯人の逃げる音を聞いていない…
それとも、あなたは犯人の音を聞いたというのかね？
あ、いや…古村さんの大声にビックリしてそれどころじゃ…
キュウィ…

ん？

ウィィーン

何だね、このビデオカメラは…

ああ…古村が毎日撮っていたビデオ日記ですよ…

まさか撮りっ放しになっていたんじゃ…

よーし！すぐにTVにつないで再生しろ!! もしかしたら、犯行当時の何かが写っているかもしれんぞ!!

は、はい！

今日も一日ご苦労さんでした！

今夜の徹マンがんばるぞ——…

10

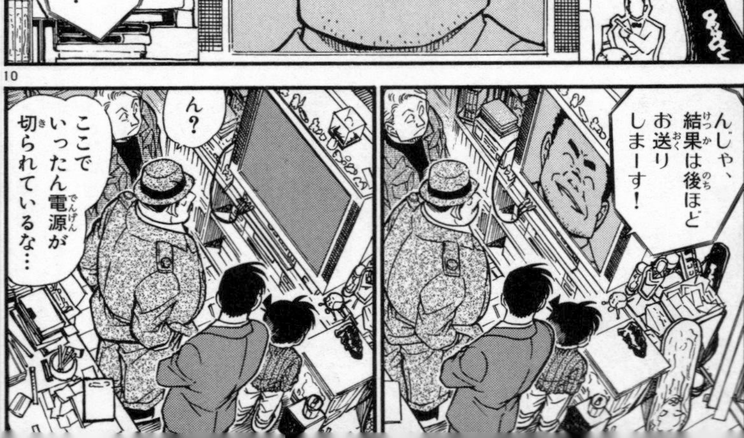

ウィイイン
おっ！ またスイッチが入った…
でも、真っ暗で何も…
ぐあっ
え？
ちょっと古村さん？
どうかしたんスか？ 古村さん!?
こ、これ、オレの声っス…
ガラって音はボクが寝室のドアを開けた音だよ…
ガラ
ふ、古村さん!?
きゃああああ
ここでこのボウヤが明かりをつけたっス……
でも何でビデオカメラのスイッチが入ったんでしょうか？
恐らく犯人ともみ合っている時に、床にでも落ちてそのはずみで入ったんだろう。
……
それより問題は音だ！ 被害者が大声を上げてコナン君がドアを開け、歩美君の悲鳴が聞こえるまで、あなたの声以外は何も入っていない…
…という事はやはり犯人は…
じょ、冗談じゃないっスよ!!
人を殺す気なら子供なんて泊めませんよ!!
それにオレが古村さんを殺す理由なんて…
あ、あるじゃないか……

大切な映画を台無しにされた恨みが…
ああ…「親バカ日記」の完結編の事か…
そ、それは根上さんも一緒でしょ!?
唐田さんだってすごく怒っていたじゃないですか!?
た、確かにそうだが…
どういう事かね?映画を台無しにしたとは…
フィルムチェックの時、古村は傷を見逃して、それをそのまま現像機にかけてフィルムを切ってしまったんですよ…
そのおかげでこっちは大損だったんです…
切れてダメになったシーンの撮り直しの費用は全部ウチ持ちですから…
まあ、フィルムのチェックは暗室の中で指の感覚だけを頼りにやるシビアな作業なんで…
毎日のように、朝まで麻雀をやっていた古村には無理な仕事ではあったんですがね…
12
暗室でフィルムのチェックというと、根上さん、あなたも…
ええ…前は彼も現像マンでした…
古村は、その一件があった後、営業の方に配置替えされましたが……
しかし、何でそれで三人共恨むんだね?
ボーナスをカットされたとか?

あの「親バカ日記」シリーズは、一作目からウチで引き受けていた現像所員全員の誇りだったんです……
その完結編に傷を付けたんですから、恨むのは当然ですよ…
古村さんだけは誇りに思ってなかったみたいっスけど……
でも殺したいほど恨んでいたわけじゃ…
同じ麻雀仲間でしたし…
今じゃもうみんなその事は忘れてるっスよ…
……
音なき犯行…
あの玄関からこのドアまでは、
障害物がなく簡単に通れるとしても、
難関はこのリビング…
暗闇の中、こんな所を短時間で音を立てずに通り抜けるのはまず無理だ…
となると、犯人はやはり…
最初からこの部屋にいた穂島さんしか…

え？

あれって確か…

あの部屋にも…

そういえばあのビデオカメラにも…

確か…

確か…

14

なるほど…だからあの人焦ってあんな事を…

そういう事ならビデオテープに入っている音の不可解な点も…

引きちぎられたボタンの謎も一本につながる!!

間違いない…犯人は恐らくあの人だ…

あの暗闇の中、この犯行が可能なのはあの人しかいないはず……

FILE.6
黒い光の謎

とにかく、今、わかっている事は…

2

え?
あ、阿笠さん!?
博士!!!
コナン君に迎えに来てくれと電話をもらってのォ――…
その電話で事件の事を聞いたんじゃが…
何度考えても答えは一つ!
穂島さんの犯行にまず間違いないじゃろう…
普通の人間では、暗闇の中を音も立てずに自由に動き回る事はできんからのォ…
まあ、足のない幽霊なら話は別じゃがな!!
阿笠さん、あなたもそう思いましたか…
しかし一つだけ、気になる事があるんじゃよ…
え?

ホラ、犯人と古村さんがもみ合った時に引きちぎられたというシャツの第三ボタン…
まだ見つかっておらんのじゃろ。
そ、そういえばまだ…
それが見つからんとしっくりこなくてのォ…
ボタンに羽根が生えて飛んでったわけじゃあるまいし……
まあ多分、この散らかった部屋のどこかに落ちているか…
まだ犯人が所持しているかじゃろうから…
この後、警察署で事情聴取をする際に、穂島さんの身体検査を念入りにされる事をお薦めしよう…
そ、そうですな…
では、穂島さん、署の方へ…
い、いいっスけど…
オレ、犯人じゃないっスよ！
じゃあ、根上さんと唐田さんも御一緒に…
え、ええ…
………

じゃあオレ達もこれから警察に行って事情聴取だ！

一回寝たから起きてられるよな？

オーッ

おい、灰原…行くぜ！

え、ええ…

でも、ヤイバーの映画観たかったなぁ…

ですよね…

うん…

あ、ちょっ……

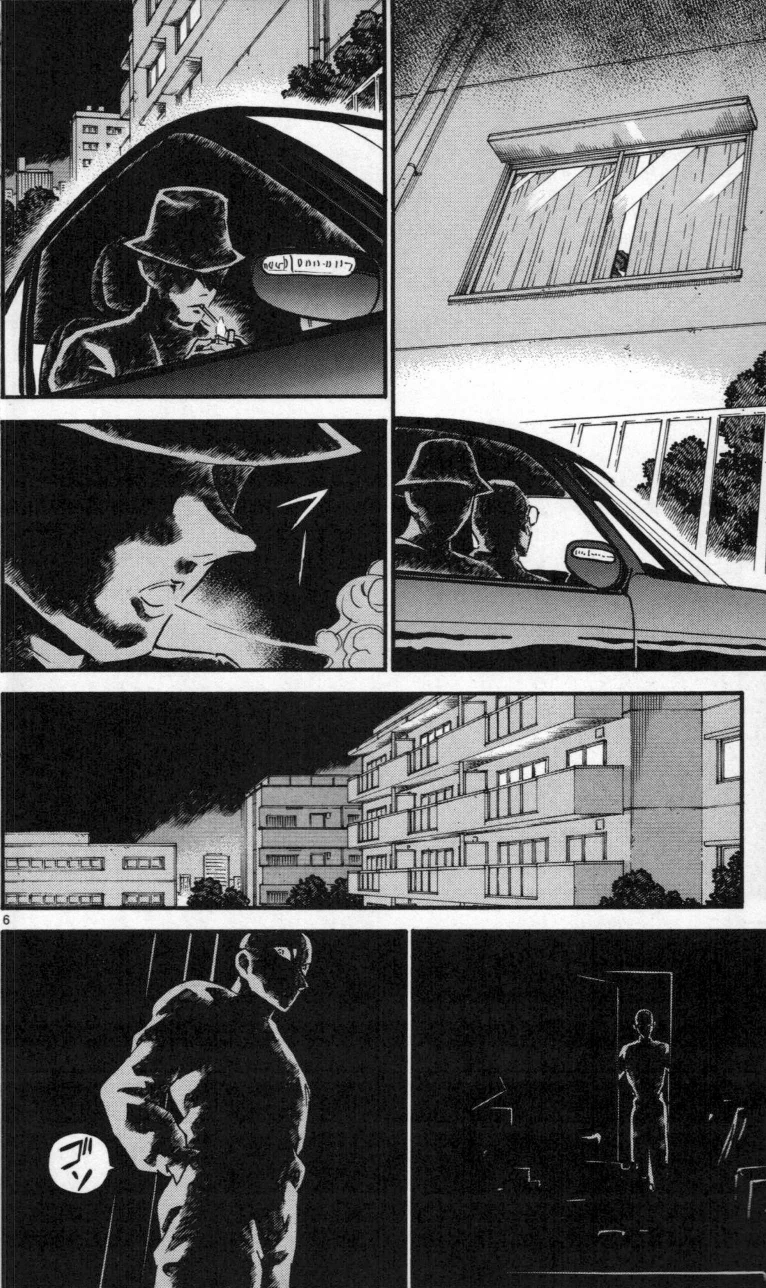
6
ゴソ

ヒタ
ヒタ
ガッ
え？
あ!?
ガタッ
な、
何で!?

カチ

やはりあなただったんじゃな、根上さん……
ど、どうして…？

音じゃよ…
音…？

8

で、でも、子供達は音を聞いていないって…
それにビデオテープにも…
そうじゃ…確かに不審な物音は入っていなかったが、
入っていなさ過ぎた…

ビデオカメラが床に落ちて電源が入ったのなら、その時の音が何か入っているはず…
別の理由で作動したとしても、そのきっかけとなった何かの音が入っているはずじゃろ？
もみ合う音や落ちて転がる音が、電源が入った瞬間にピッタリ止まるのは考えにくいしのォ…
それが入っていないのは、犯人がわざわざ録画ボタンを押してそっと床に置いた可能性が高い…
それでピンときたんじゃよ…
もしかして犯人は暗闇の中、音を立てずにこの部屋から脱出する自信があったんじゃないかとな…
そして、現像マンというあなたの職業にも引っ掛かっておったよ…
え？
あなた、こう言っていたそうじゃないか……
暗闇の中で指の感覚だけでフィルムの傷をチェックする作業だと……
いくらその暗室に慣れているといっても、光が全くない部屋での作業は不可能じゃ…失敗すると損害も大きいそうじゃし…
だから、暗室内の物の配置が把握できる目印のような物があるんじゃろうと思っておったが…
案の定、この部屋に入った時すぐに見つけたよ…
乱雑に置いてある物の角っこに……

この黒いテープが貼ってあるのをな！
これは恐らく蛍光テープの上から黒いビニールテープを貼った物…
ホラ、上の黒いテープが削られて下の蛍光テープが少し見えておるじゃろ？
多分こうやって光を抑えんと暗室では光り過ぎてフィルムが感光してしまうんじゃろう…
カチ
じゃから、明かりを消しても普通の人にはすぐには見えんが…
目が慣れてそこに何かあると凝視すれば、
徐々に見えて来る…
この光を頼りにし、なおかつ物の配置を把握した上で慎重に歩けば…
何にもぶつからずに通り抜けられるというわけじゃ…
た、確かに…
だからコナン君が明かりを消した時、すぐつけ直したんじゃろ？
カチ
目が慣れて、光に気づかれる前に……

多分、根上さんの暗室に行けば、貼ってあるはずじゃよ…

暗闇だとぶつかりそうな机や柱の角にこれと同じテープがな…

そういえば、ビデオカメラにも黒いテープが貼ってあるな…

しかし、それでカメラの位置はわかったとしても、暗闇で寝ている人の心臓の位置まではわからないんじゃないでしょうか……

少しでもそらせば殺人は不可能ですし…

ボタンじゃよ…

恐らく古村さんのシャツの第三ボタンに少量の蛍光塗料を塗って暗闇の中で心臓の位置を把握したんじゃろう…

ワシや警察が部屋で待ち伏せているとも知らないで…
まあ、物の配置を少々変えていたからパニクっておったようじゃがな…
カン
カン
阿笠さんに言われて、あなたの事情聴取を真っ先に済ませ、この部屋で待機していたが……
まさかこういう結果になるとは……
しかし、よくバレませんでしたね…
穂島さんはともかく…元現像マンの古村さんなら蛍光テープに気づいてもおかしくないのに…
ハハ…
バレるもなにも…
この蛍光テープは古村本人が貼った物ですよ…
え?
ビデオカメラに貼ったテープは暗くてもすぐ手に取れるように…
部屋のテープは、夜中にトイレに行きやすいように、穂島に内緒でイタズラ半分に貼ったと言っていました……
そういういい加減な奴だとはわかっていましたが…
あれだけは許せなかった…

「親バカ日記」の完結編の映画フィルムを台無しにしたあのミスだけは……
ああ…古村さんが徹マン明けでフィルムチェックを怠ったというあれかね？
ええ…だから彼を殺したんですよ…その徹マンに誘った穂島に罪を着せて…
しかしいくら誇りに思っていた映画といっても殺す事は……
それに、撮り直してちゃんと映画は完成したんでしょ？
ダメですよ…完璧じゃない…
その撮り直しのテープは本当は主役の弟役の俳優も出ている場面だったんです…
でも撮り直し直前に事故で急死されて…仕方なくそのシーンは俳優抜きで…

だから…あの映画はもう二度と完成する事も、完結する事もないんです…
うっ
あいつのせいで…あいつの……
うっうっ

ゴオオオ

14

まあ車まで距離あるけど健康のためにも走って来いよ!
く、
工藤く…
ブロロロ
ミシッ…

ゴォォォ

大丈夫…

あのタバコ…

16

自分達の存在を知られたくないからあえて鳴らさなかった……

さっきのマンションをあいつらが張ってた時もそうだ……

こっちから見える車の窓際じゃあタバコを吸わなかった…

もし吸ってたらタバコの火が見えて、ここで見張ってるって相手に教えているようなもんだから……
ま、警察もやってる張り込みの基本だよ！
でも今は、オレ達に見えるようにタバコを吸っていた……
オレ達を見失ったって証拠だよ…
まだうろついているところを見ると、家までは嗅ぎつけてねーって事かな？
まあ高木刑事に飲酒運転の検問をわざわざ通って、ここまで送ってもらったんだ……
見失うのも無理ねぇけどな…
………
まさか…彼ら…
さあな…
確かなのは、母さんのファンじゃねーって事と……
どーやら標的は…
オレかお前のどっちかだって事だな……

そうか、見失ったか…

まあいい…

ゴオオオ

まだ糸は切れていない…続けろ…

しかし…

ピッ

よく似ている…

FILE.7 迫る包囲網

コホ
コホ
コホ
コホ
おい、大丈夫かよ?
ただの風邪よ…
わざわざ見舞いに来る程の事でもないわ…
昨夜、現像所から帰ったら急に熱が出てのォ…
きっと色々あって気疲れしたんじゃろう……
それより、あなたこそ大丈夫でしょうね?
あん?

2

ほら…昨日、私達を尾行してた彼ら…
あなたがつけられて、この家が知られたら博士まで…
心配すんなよ！
誰にもつけられてねーし、誰もこの家を見張っちゃいねーから…
本当は医者に診せた方がいいんじゃが……
今日は日曜だから、この辺の病院はほとんどやってねーし……
そうじゃ！新出先生に頼もうか？
ああ…さっき電話したけど留守だったよ…きっと例の事件の裁判が近いから忙しいんだよ……
そーいや杯戸町の東都デパートの中に病院があったから、そこに行ってみるか？
確か休診日は木曜だったから……
コホコホ
いいわよ、無理に行かなくても…
3
まぁとにかく早めに治すに越した事はない！
コホケホ
風邪は万病の元というしのォ…

え？
すぐには診察できないんですか？
はい…今日は患者が立て込んでいまして…
今からだと2時間待ちになりますけど……
まぁ仕方ねーよ…
とりあえず予約して、時間までデパートの中で暇でもつぶすか……
そうじゃな…丁度腹も減ったし…
あそこのレストラン街には評判の玉子粥を出す店があるから…
それを食べれば哀君も少しは元気になるかもしれんしな……
オーライオーライ…
ー東都デパートー
大江戸骨董市
ウインターセール開催中

オーライ
オーライ…
ストーップ!
キッ
着いたぞ
哀君!
え、
ええ…
ムク
コホ
コホ
ホラ、
つかまれよ!
まだフラフラ
すんだろ?
……
バカに
しないで
くれる?
車ぐらい
一人で降り
られる…

ポルシェ356A…
ジンの車……
おい
おい…
確かにあれはジンのポルシェと同じ型だけど、奴のは黒でこれは緑！色が違うじゃねーか……

6

それに、こんな近くにポルシェが3台も停まっている所を見ると……
きっとポルシェ好きの仲間が集まって、デパートで飯でも食べてんだよ…
ん？
またポルシェじゃ…
ブロロロ…
今度は911か…
よーし、到着！
キル
着いたよ、伴場さん！
伴場さん？
くそっ…またOBかよ……
ヒック
伴場幸哉(41)
──ったく、しょうがねぇなァ…
ま、いつもの事だけど…
では、例によって伴場の酒が抜けるまで買い物でも……
待って！車から財布取って来るから…
ああ…
んじゃオレも…
ねえ…

ひょっとして、ここに停めてある4台のポルシェ、おじさん達の？
あ、ああ…
その古そうな車が…
ガチャ
布袋さんのポルシェ356A！
布袋鋭司(39)
右端の新しめの車が泰山さんのポルシェボクスター！
ガチャ
泰山薫(34)
これが私の愛車！
ポルシェ911！
暮木義人(45)
そして、この赤い奴が、
私の車で寝ている伴場さんのポルシェ928だよ！
でも何で四人がおじさんの車に乗ってたの？
ああ、それはね…
バン

8

俺達はポルシェ仲間でもあり、ゴルフ仲間でもあるからな…
四人でゴルフに行く時は一たんここに集まって、暮木さんの車で一緒に行くのよ！
みんなで移動した方がワイワイ楽しいし、高速代も一台で済むし……
ここの駐車代もこのデパートである程度買い物をすればただになるしね…
それにいつもハーフ回ったらビールをグビグビ飲み始めて……
終わる頃には酔いつぶれてる誰かさんがいるから…
酔いが覚めるまで買い物せざるを得ないってわけだよ！
9
まぁ日曜はこの駐車場混んでて空いたスペースを探すの大変だから、場所取りも兼ねているんだけどね…
場所取り？
ポルシェとポルシェの間に停めたがる度胸のある奴は、滅多にいねぇって事だろ？
あ、なるほど……
じゃあ哀君、ワシらも行くと…
………

私パス…
え？
ガチャ
なんか気分が悪いから、診察の時間まで車の中で待ってるわ…
バン
お、おい、哀君…？
仕方ねえよ…得たいの知れない連中に後をつけまわされたんだ…
畏縮するのも無理はない…
じゃ、じゃあ、やっぱり…
尾行していたのは黒ずくめの…
…かもしれねえが、まだ確証はない……
せめてマークされているのが、オレなのか灰原なのかわからねーと…
動きようがねぇぜ……

ブオオオ
昨夜未明、東京都内で起こった…
犯人は依然逃亡中で……
次のニュースです…
おい おい おい…
すんげー並んでんじゃねーか…
さ、さすが評判の玉子粥…
あ、いかん…携帯電話は車の中だ…
ちょっと取って来るよ…
あれ？あの人さっきの…
Hey クール キッド!!

え？
お久し振りですねー!!
ジョ、ジョディ先生…
蘭君と園子君も……
どうしたの？
樽雅亭の玉子粥よ！
とってもおいしいって先生に教えたら連れてってって…
Yes！日本料理ヘルシーでベリィベリィグッドね！
それよりコナン君達こそどうしたの？
今日は哀ちゃんの風邪のお見舞いに行くって言ってたのに……
あ、いや…
アイ…ちゃん？
そうなんじゃ…実はその哀君を…

ここに連れて来てその玉子粥を一緒に食べようと思ったんだけど、
風邪がひどくて無理そうだから誘わなかったんだ！
ね、博士！
あ、ああ…
御覧ください、この大行列！
彼らの目当ては、みーんな樽雅亭の玉子粥なんです！
ホラ、TVでも大人気だから、ボク達も食べたくなっちゃって…
放火犯は未だ捕まらず……
警視庁では付近住人に厳重な…
ゴオオオ
さあいよいよ最後の曲に…
ピッ
ピッ
んなアホな…
ピッ

ボウヤも玉子粥を食べに東都デパートに来たのー？
あ、う、うん…
で、でも、いっぱい人が並んでるから止めにするよ…
あらそう…
ギャ
ギャ
クォー

――ってわけだから、ボク達は帰るよ…
あ…
行こ、博士！
？
ちょっとー！
このお店、回転早いからすぐ食べられるよ――！
ほっときなさいよ！どーせガキにはわかんない味だから…
………
お、おい…
どうしたんじゃ急に…
おい…新一君？
新一君!?

カッ
カッ
カッ
カッ
カッ
コホ
え？
ギッ
ガチャ
16
ハァ
ハァ

さっきの人……
戻って来たのね…
あ…
博士と工藤君…
どうしたの…?
どうしてそんな怖い顔してるの…?
ウ…
わあああ

え?
ば、伴場さん…
こ、
絞殺…!?

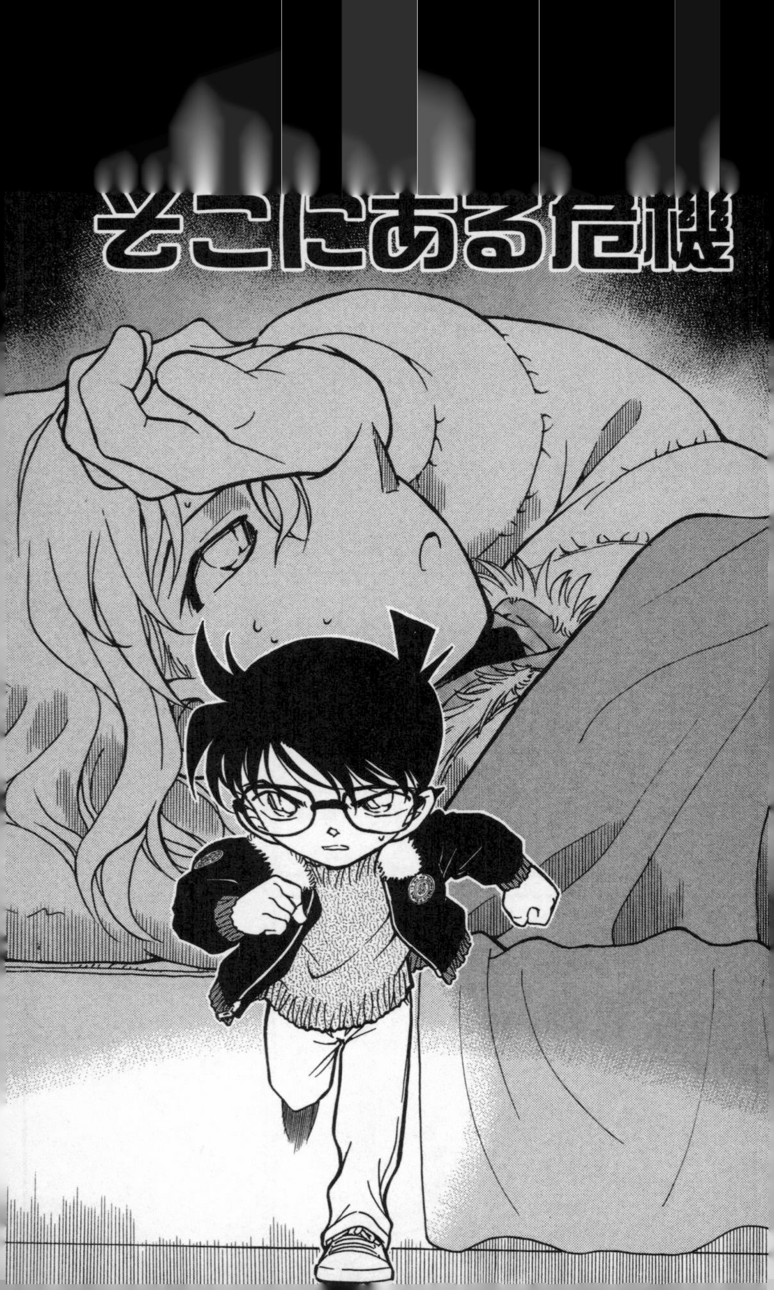
そこにある危機

な、何じゃ？

どうしたんじゃ新一君？

ダメだ…

首を絞められて死んでるよ……

も、もしもし警察ですか!? 今、杯戸町の東都デパートの地下駐車場からかけているんですが、

とにかくオレは残るから、博士は車で灰原を連れてここから離れろ！

え？どうして？

さっきオレの姿が
TVカメラに撮られちまった…
昨夜オレ達をつけ回していた奴らが
黒ずくめの男達の仲間だとしたら、
その映像を観てここに来ねーともかぎらねーだろ？

大丈夫じゃよ！
さっきのTVはお昼のワイドショー…
視聴率も10％程度じゃ…

ゴールデンタイムの生放送じゃあるまいし
彼らが観ているとは…

バーロ！ 関東地区のTV所有人口は約4000万！
視聴率1％でだいたい40万人が観ている計算だ…

10％で400万人…

その中に奴らがいない保証はどこにもねぇよ!!

3

た、確かに…

さあ、わかったら早く灰原をここから連れ出してくれ！

都内を探せば日曜でもやってる病院ぐらいみつかるよ…

灰原には悪いが…

それまで我慢してもらうしかねぇな…

ハア

ハア

ハア

大江戸骨董市
ウインターセール開催中

ちょっと！パトカー、このデパートに停まったわよ！

事件でもあったのかなぁ…

ひょっとしてまたあの眼鏡のガキんちょが巻き込まれていたりして…

まさかぁ…

4

この駐車場で殺人事件があったから誰も駐車場から出すなと…
マジ？
…というわけじゃや…
こりゃー犯人が捕まらんと出られんぞ…
仕方ねぇ…空いたスペース見つけて大人しく待ってろよ…
パリ
じゃ、じゃがもしも奴らが来たら…
大丈夫…すぐに解決してやっからよ！
それまで絶対動くんじゃねーぞ！
ブツ
お、おい…
ハア
ハア

殺されたのは
伴場幸哉さん
41歳……
死因は
窒息死…
首に残っている
索痕の状態から見て
どうやら凶器は
細い糸状の物の
ようです…
ウーム…
しかもこりゃー
かなり強い力で
絞められた
ようだな…

…でもあるんだよね？
コ、
コナン君!?
ど、どうしたんだい？
博士とこのデパートに来て車から降りたら、そのオジサン達も車を停めに来てちょっとお話したんだよ！
じゃあ阿笠さんは？
まだ上で買い物してるんじゃないかなぁ…
それで？その時の様子をもっと詳しく教えてくれないか。
午後1時頃、おじさん達四人がこの白いポルシェでやって来て三人だけ降りたんだよ！
あのオジサンの酔いが覚めるまでこのデパートで、買い物するって言ってたよ！
しばらくたったらそれぞれ自分の車で帰るつもりだったみたいだよ！
ではこの4台のポルシェはあなた方の…
え、ええ…
警部！ちょっと…
ん？
ガチャ
ジロ
フムフム…

どうやら容疑者はあなた方三人に絞られたようですな…
え？
検屍の結果、死亡推定時刻は午後1時前後…
あなた方がこの駐車場に来た頃だ…
つまり、あなた方の誰かが車から降りる際に伴場さんを絞殺した可能性が極めて高い…
まあ、降りる時に鍵を掛け忘れたのなら話は別ですが…
い、いや…ちゃんと鍵はかけましたけど…
降りる時、彼はまだ生きていましたよ…
本当ですか？
あ、ああ…
酔い潰れて寝言を言ってたよ…
「またOBかよ」とか何とか…
それに三人共ほとんど同時に車から降りたから、首を絞めてる暇なんてなかったわよ…
まあ、とにかく話を伺いましょうか…
あなた方の名前と殺害された伴場さんとの関係と、車から降りた順番…
そしてあなた方の愛車はどれなのかを…

最初に降りたのは私です…
名前は暮木義人…
伴場さんとはポルシェの新車発表会で知り合いました…
暮木義人(45)
ポルシェ911オーナー
私の車はこのポルシェ911……
ゴルフの時はここに停めて、いつもこの車で四人一緒に行ってました……
さっきそのボウヤが言った通り、伴場さんの酔いが覚めるまでデパートで時間を潰そうと思って降りたんですが、車の中に携帯電話を忘れた事に気がついて…
取りに戻ったらこの有様だったというわけで…
ホー……じゃあ、あなただけ誰にも気づかれずに絞殺する事ができたわけですな?
あ、いや…車に戻ったのは1時間ぐらいたった後ですから…
ん?
何ですか?グローブボックスに入っているこの箱は?
オ、オルゴールです…
ピンが折れたんで修理に出そうと思っていたのをすっかり忘れていました…
ネジを巻けばちゃんと動くようだが…
こんなんじゃ人の首は絞められんか…

次に降りたのはこの俺布袋鋭司だ…
伴場とは一緒に峠で暴れた走り屋仲間…
まぁ若い頃の話だがな……
布袋鋭司(39)
ポルシェ356Aオーナー
最近シブイ車にはまっててよ…
んで、50年前に作られたこのポルシェ356Aを買ったってわけよ…
おや?
後部座席に何か乗ってますなぁ…
あ、ああ…そいつは釣り竿だよ…
ゴルフの他に釣りにもはまっててよ……
ん?電動リールまであるじゃないですか!
これを使えば自動的に首を絞める事ができるんじゃ…
バ、バカ言ってんじゃねーよ!
リールはバッグに入っていたじゃねーか!
俺は暮木さんに連絡を受けてここに戻ってから一度も車に触っちゃいねーぞ!
それにそのリールは浅場用!人を絞め殺す力なんてねぇよ!!

私は泰山薫、確かに最後に降りたのは私だけど…
女の私に男の首を絞められる力があると思う？
ただでさえゴルフをやった後で握力が落ちてるっていうのに……
泰山薫(34)
ポルシェボクスターオーナー
で？あなたと伴場さんの関係は？
別に…ゴルフ場の駐車場でポルシェの話で盛り上がって一緒にラウンドするようになっただけよ……
発売直後に買ったこのポルシェボクスターが、伴場さんの目に留まってね…
ん？あなたも何か乗せてますなァ…
ホラ助手席に…
ああ、いとこの息子さんへのプレゼントよ…
中身はポルシェのラジコンカー…
PORSCHE 911GT1
TAMIYA
でも布袋さんのリールと一緒で、こんなんじゃ人の首なんか絞められないわよね？
それに買い物をしにこの車を降りてからは、「伴場さんが死んでる」っていう暮木さんの電話でここに戻っては来たけど、私も何も触っちゃいないわよ！
しかし証人がいるわけじゃないでしょ？
買い物中にトイレに行く振りをして、こっそり降りて来たかもしれんし…
じゃあ あれ見てみれば…

そうか監視カメラ！

嘘ついてたらすぐわかると思うよ！

よーし警備室だ!!

では皆さんもご一緒に…

ダッ

……

おーい…

シーーッ

大人しくしてろって言ったろ…

じゃがのう…

哀君の容体がどうも思わしくなくて……

奴らって誰ですかー？

やっぱり事件に巻き込まれていたのね？

あ、う、うん…

で、でも何でここに入れたの？警察の人や事件に関係ある人しか入れないはずだけど…

あら…

あんたを迎えに来たって言ったら入れてくれたわよ！

哀ちゃんも来てたんだ…

赤みがかった…

茶髪…

ん？

どういう事かね？布袋さんと泰山さん？

ウーム…この後三人そろってデパートで買い物をし、1時間後に暮木さんが携帯を取りに戻るまで誰も車には近寄っていないようですね…

だから言ってるでしょ？私達には犯行は無理だって……

じゃあ車から降りる前に、三人で協力して首を絞めちゃったとか？

え？

そ、園子君!?

推理女王園子！応援に来ました～♡

何なのこの子…

この子じゃなくその子！

確かに園子の言うのも一理あるが…

自分達が疑われる状況で自分から警察を呼ぶのは考えにくい…

それに、三人共ほぼ同時に車から降りてたし、自分の車に財布を取りに行った二人の動作に妙な所はなかったし…

わからねぇ…犯人はどうやって伴場さんの首を絞め、どうやってその凶器を回収したっていうんだ？

!!

ポルシェ
911

ポルシェ
ボクスター

ポルシェ
356A

こ、
これだ!!

FILE.9 逃れられないターゲット

大江戸骨董市
ウインターセール開催中
だから何度も言わせないでよ!!
私達は伴場さんを車に残して三人一緒に降りた後、この駐車場の上のデパートに行ったのよ!!
伴場さんの死亡推定時刻は丁度その頃で、私が携帯電話を取りにその車に戻って、死体を発見したのはその一時間後…
俺達が車を降りる時には生きていた伴場が、いつの間にか首を絞められて殺されたのは妙な話だが…
俺達に犯行は無理なんじゃねーのか?
だが布袋さんと泰山さんは車を降りた後、一度自分の車に乗り込んでいましたよね?
伴場さんの首に、細くて強い糸状の物をかけ…
自分の車の中でこっそり引っ張れば…
だーかーら、さっき観たでしょ?監視カメラの映像を!!
あれは財布を取りにちょっと乗っただけで…
オレ達二人に何かを引っ張るような仕草はなかっただろ!?
2

それに凶器の糸も見つかってないし…
我々が犯人だというのなら、どうやって首を絞め、どうやってその糸を回収したかを説明してくれないか？
まあまあ…
それはまだ捜査中ですから…
……
園子、わかった？
やっぱり車を降りる前に三人で首を絞めたか…
もしくは…
ねぇ…
だったらもう一度、あの車の所に戻ってみれば？
何かわかるかもしれないよ！
そ、そうだな…現場百遍というし…
戻ってみますか……
………

まさか…

新一君は動くなと言っておったが……

これ以上放っておいたら哀君が…

仕方ない…

ダメもとで新出先生に……

ピポパポ

トゥルル

トゥルル

はい…新出ですが…

あ、新出先生か!?

その声は阿笠さんですね?

こりゃーラッキーじゃ!! コナン君が電話した時は留守だったそうじゃから…

コナン君が…?

変ですねぇ… 今日は一日中家にいましたけど…

ああ… そういえば、トイレに入っている時に電話がありましたから、きっとそれでしょう…

それより、どうかされたんですか?

実は病気の女の子を一人抱えておってのォ…

なるほど… 事件のせいでその場から動く事ができないんですね?

え、ええ、まあ…

ウーム…現場には来てみたが…
何か気がついたか？
いや、特には……
じゃあ、園子姉ちゃんにみんなの車を調べてもらったら？
え？
園子姉ちゃん名探偵だから、何かわかるかもしれないよ！
まずは一番右端の泰山さんのこの車から…鍵、貸してくれる？
え、ええ…
はい！園子姉ちゃん！
う、うん…
ガチャ
た、高そうな車だって事はわかるけど…
別に変わったところはないよう…
ね!?
プス

ホ、ホント!?

おおー!!

できれば、何で毛利君同様に寝た振りして真相を語るかという謎も明かして欲しいがな……

でもホントにわかったの？車に乗って座っただけなのに…

座ったからじゃなく、触ったから…

触った…？

ホラ、窓ガラスの上の所に小さな溝があるでしょ？

そこに指が触れた時にビビーンときたのよ…

犯人はこのポルシェボクスターの持ち主の泰山さん…
あなただっていう事にね!!

じゃあ高木刑事はポルシェ911に乗っている伴場さんの遺体の横の運転席に座って被害者役を…

ああ…買っといてって言ってたこの釣り糸?でもこんなのでホントに人が殺せるの?

まずは
座ってる
高木刑事の
首に…
ガチャ

釣り糸を
引っ掛けて…

その糸を
ヘッドレストの
後ろに通し…

糸を
持ったまま
降りて…
バン
ドアを
閉める…

そして
その糸の
両端を
持って…
間にある
ポルシェ928の
下を通し
ながら…
泰山さんの
車に戻って…

あらかじめ
つけておいた
運転席側の
窓ガラスの溝に
引っ掛けて…
車の中に
乗り込むん
だったよね?

しかしなぁ…
伴場さんの首には
かなり強い力で
絞められた跡が
残っていたんだ…
たぶんその糸を
車の中でこっそり
引っ張ったと
言いたいんだろうが…
バン

監視カメラの
映像を見る限り、
彼女は何かを強く
引っ張る仕草は
してなかったし、
そもそも
女性だ…

女性の力で
あんな真似は
とても…
そう…
だから泰山さんは
利用したのよ…

このパワーウィンドウの力をね……
ウィィン

離れていてもって首を絞められるってわけ!
ちょ、
ちょっと園子さん!?
ググッ
それに…
カチ
ウィィン
元々この駐車場は薄暗いから糸は見えにくいし…
車のキーを第一段階で止めておけば、エンジンをかけずにパワーウィンドウを動かす事ができるから…
大きな音を立てずに済むしね…

じゃあ、その糸はどうやって回収したんだね？泰山さんは何かを巻き取る素振りもしてないように見えたが…
このラジコンカーを使えばね…
そんなの簡単よ…
あらかじめ、ラジコンの後輪のシャーシに結びつけた糸の先を箱の外に出しておき、
首を絞め終えた糸を切って、その片方を箱から出ている糸に結び、ラジコンを箱の中で走りっ放しにして車の外に出たってわけ！
確かにそうやれば糸は自動的に巻き取れるが…
走りっ放しにしていたのなら、ワシがこの車を調べた時にモーター音が聞こえたはずだが…
あら、知らないの？
ラジコンのバッテリーは10分ぐらいしかもたないのよ……
警部が来た頃にはもう止まってるわよ…
まあ、ラジコンカーを調べてみれば？シャーシに糸が巻きついてるはずよ！
首が絞まって伴場さんが首をかきむしった時の血がついた長ーい糸が…
もっとも、糸を巻き取るだけなら布袋さんの電動リールでもできそうだけど…彼を容疑者から外した理由は…
パワーウィンドウ……

この三人の中で、愛車にそれがついているのは、私のボクスターだけってわけでしょ？
結構うまくいったと思ったんだけど…
こんなかわいい探偵さんに見抜かれちゃうなんて……
じゃあ、やっぱりあんたが……
でも、どーして？
どーして？
きっとあの男もあの世で思ってるでしょうね…
「どうして俺は殺されたんだ？」って…
彼に聞いた事あるでしょ？黄色のフェラーリと峠で張り合ったって……
そ、そういえば、前にゴルフ場に遅れて来た事があって、その時そんな話を…
でも奴は絡まれたって……
ウソよ…絡んで来たのはあの男の方…
どーせ派手なフェラーリに乗ってるカップルを冷やかすつもりだったんだろーけど…
運転してたのは私の弟…派手なバトルの末に私達の車は崖下に転落し…
私はその三時間後、偶然通りがかった人に助けられたけど、大量に出血していた弟はもう手後れだったわ…

その男の車のナンバーは覚えられなかったけど…
男の顔と乗ってたのが赤いポルシェ928って事と、助手席にゴルフバッグを乗せていたのは忘れなかった…
そして私もポルシェを買い、ゴルフ場を捜し回ってあの男を見つけ、
仲良くなって、復讐する機会を狙ってたのよ……
じゃあ何で、その事を警察に言わなかったんだね？
別に言う気はなかったわ…
挑発に乗った弟にも非があるし…
あの男に会う最初の目的は復讐じゃなかったから……
え？
あの時、あの男がすぐに救急車を呼んでいてくれたら、弟は助かった…
知りたかったのよ……
そうしなかった理由を……
捕まるのが怖かったとか、今でも後悔してるなんて言うんなら許してあげたけど…
その後、のん気にゴルフをやってたらしいから、復讐に切り替えたってわけ……

あなた達も飛ばすのは車じゃなく…
ゴルフボールだけにしておきなさいよ…
……
ふぁ…
おーし！事件は解けた、早く博士に連絡して灰原をここから脱出させねぇと…
ピポパ
早く！早く出ろ!!
トゥルル
トゥルル
あれ？ジョディ先生は？

園子が事件の真相を明かしている最中に帰っちゃったよ…急用を思い出したって言って…
?
な!?
何だと!?
ダッ
あ、
ちょっとコナン君!?
ダダ
い、いねえ!?
ピ!!
ピ!!
博士も灰原も…
ま、まさか……
まさか…

おお、新一君か？
「おお」じゃねえよ!! 動くなって言ったのに、何で家に戻ってんだよ!?
そう怒鳴るでない…
これは新出先生の案なんじゃよ…
新出先生？いるのかそこに？
ああ…今、哀君を診てもらっておるよ… 君は留守じゃと言っておったが、電話したらおられたぞ…
事件があってそこから動けそうにないと伝えたら、「博士は警察の方とも面識があるし、病気の子を抱えて頼めば出してくれるはずです」と言われてな…
警察もそういう事ならと出るのを許可してくれたんじゃが…
さすがに現場にあった車を動かすのはマズイから、パトカーで送ってもらう事になって、デパートの外に出たら丁度彼女が車で通りがかったんじゃ……
お、おい…彼女ってまさか…
Hi!!

フルーツいっぱいいっぱい切りました——!!
風邪にはビタミンCが一番ですよー!!
シーッ!今やっと眠ったとこなんです。
Ah〰 Sorry…
ジョディ先生じゃよ…
彼女にここまで送ってもらったんじゃ……
……
彼女が車を別の駐車場に停めていたおかげで助かったわい……

16

レディー オア ノット
Ready or not…
もーいいかい♪
ヒア アイ カム
Here I come…
さがしに行くよ♫
ズゴッ
カチ
アイ シー ユー
I see you…

見ィーつけた♪

FILE.10
ある来訪者の残した謎…

知ってるか？
そいつをかけてると、正体が絶対バレねーんだ……

逃げるなよ灰原！
自分の運命から逃げるんじゃねーぞ!!

オレ、アイツと約束しちまったんだ……
ヤバくなったらオレがなんとかしてやるって…

アイツ、見かけよりタフじゃねえからよ……
コホ コホ

薬…
お医者さんに診てもらったのね……
覚えてないけど…
記憶にあるのは、博士に抱えられてデパートを出て…
確かあの後…
確か…

……

バカね…見つかってたらあんな夢、見てる状況じゃないし……博士だってああやってうたた寝…

ピチャ

!?

は、博士!?

博士!?

博士!!!

よォ…
起きたのか？
え？
コロコロ
あ…
カン
トマトジュース…
ムニャムニャ
博士に言っとけよ…
缶ジュース飲みながらネット見るの止めなって…
どーせ途中で寝ちまってこぼしちまうから…
そ、それよりどうしてあなた…
嫌な予感がしたから様子を見に来ただけだよ…
オメーの看病の手伝いするって言ってな……
まぁ、取り越し苦労だったみてーだから……
安心して寝てていいぞ…

お待ちどーさまー♪

できたよ、玉子粥!!
樽雅亭のには負けちゃうけど…

あれ…寝ちゃったの?
変じゃのォ…
蘭君が来る前は起きておったのに……

まあ、ここに置いておくから、味の感想聞いといてね♡
う、うん…

じゃあわたし、園子と約束があるから…
あ、帰る時は来た時と一緒で…

地下室を通って裏口からでしょ?
早く玄関のドアの修理した方がいいよ博士!
あ、ああ…

――ったく…

泣き真似はうめーけど、寝たフリはヘタだなオメー…
何なんだよ？わざわざ粥作りに来てくれたっていうのに、シカトかよ？
別に…頼んだわけじゃないから……
コホコホ
まぁオメーが世話好きの、蘭みてーなタイプが苦手なのはわからなくはねーけど…
せっかく作ってくれたんだから、冷める前に食べちまえよな！
……
わかってないのね…
何も…
まぁ、わかって欲しくもないけど…
ふーふー

あち…
でも丁度冬休みに入ってよかったわい…
ああ…妙な奴らがつけ狙ってるのに、灰原を出歩かせるわけにはいかねぇからな……
まだセキは多少出るようじゃが、哀君の容体も大分よくなってきておるようじゃし…
こりゃー休み明けにでも哀君の父親の宮野博士の友人に会いに、哀君を連れて行けるかもしれんのォ…
え?
おい、どーいう事だよそれ!?
あれ?言っておらんかったか?

知り合いの博士に宮野博士の事をあたってみたら、彼には小中高と同級生で、デザイナーをやっておる幼なじみがいる事がわかったんじゃよ!
なんでも、宮野博士が若い頃に自費出版した本の装丁を、その幼なじみが請け負ったらしくてな。
本は売れなかったが、そのデザインが斬新で、博士達の間でも評判じゃったよ…
その人に会えば、君がいう黒ずくめの男達の事や、
哀君の両親の事がもっと詳しくわかるかもしれんと思ってのォ……
私の…
お父さんとお母さん…

ゴオオオ…
おい
おい
おい…

まあ新一君、心配するな！
ワシらはこの通り無事じゃ！奴らはまだ何もつかんでおらんよ…

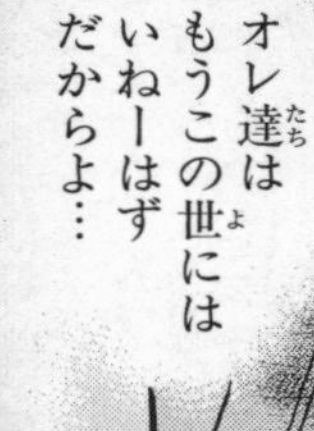

もしも、オレの推理が当たってたら…
オレ達はもうこの世にはいねーはずだからよ…

ええ…確かに私は、宮野厚司君と幼なじみだったが…
彼とはもう30年ぐらい会ってないよ…
出島デザイン事務所
最後に彼と会ったのは…
彼が親から受け継いだこの家を、私が借り受けた時だったかな……
出島壮平(54)
デザイン事務所社長
という事は、この家は宮野博士の…？
ええ…デザイン事務所を欲しがっていた私に、自分は家を空けるから、しばらくお前に貸してやるって…
ホー…
それ以来、30年間ずっと借りっ放しだよ…
ここがお父さんの育った家……
じゃあその後、宮野博士はどこに住んでいたの？
さぁ…自分の理論を認めてくれた大きなスポンサーの研究施設に行くと言っていたが、それがどこにあるかまでは…

奴らだな…

ええ…多分…

それで？その後宮野博士から何の連絡もないんですか？

え、ええ…結婚したっていう葉書が一枚来たぐらいで……

ああ…その人なら、社長の留守中に一度来られましたよ…

え？

ほら、社長って昔からデザインに詰まるとよくブラッと外に出て、しばらく帰って来ないじゃないですか……

丁度その時に来られたんですよ…

外国人のきれいな奥さんと4、5歳ぐらいのかわいい娘さんを連れて……

財津浮彦(41)
デザイナー

お姉ちゃん…
変わった親子でしたよねぇ…
ああ…得に娘さんのイタズラには手を焼いたよ…
あの子、僕達が使う道具を至る所に隠してねぇ…
僕達が困ってるのを見てはしゃいでたから…
今井徹夫(52)
デザイナー
奥さんは奥さんで、ずーっと黙ってるから言葉が通じないのかと思ったら、娘さんと日本語で話していたし…
旦那は絶えず窓の外を気にしていたし…
そーいえばあの時、この家の前にずっと車が停まってたな…
ああ…スモークガラスの黒い車…
監視付き…
おいおい、そりゃーいったいいつの話だ?
あれは丁度、古くなったこの家を事務所用にリフォームした直後だったから…
もう20年ぐらい前ですかねぇ…
その時、宮野博士があなた方に何か言い残したりは…?
いや…
……
特には何も…

ところであなた達、宮野君とどういう関係だね？
あ、いや、博士仲間というか…
この年でやっと結婚する事になって、式に呼ぼうと思ったんだけど住所がわからないから聞きに来たんだよ！ねぇ！
あ、ああ…
そろそろ昼飯買いに行きますけど、希望あるっスか？
じゃあ、ハンバーガーを頼むよ！
ジャー
いつものテリヤキとフィッシュとポテトMとコーンスープでいいんスね…
他は？
夏堀勇(35)
デザイナー
じゃあ僕も社長と一緒で…
俺はそれプラスアップルパイとコーラのL二つ！
13
──ったく…いつもそんなに飲んでるからトイレが近いんスよ…
悪かったな、ガキっぽくて…
あ、今井君、コーヒーを頼むよ！お客さんの分も…
トイレの後でもいいですか？
構わんが、ちゃんと手を洗ってくれよ！
はいはい！

まぁ、そんなわけで私も知らないんだ、宮野君の住所は…悪いが仕事があるんでコーヒーを飲んだら…
あ、はい…
グビ
明美ちゃんならこの前ブラっと来たけどなぁ…
え？
お姉ちゃんが!?
ホラ、いたでしょ？トイレを借りに来たかわいい子！
お久し振りですねって言われて、俺達ビックリしてたんですから…
あの子が宮野君の娘だったとは……
ジャー
あれ？言いませんでした？
だから聞いてないって！
それで？その女の人、ホントにトイレを借りに来ただけ？
あ、ああ…
でも妙な事言ってたなァ…
トイレを借りた事、恥ずかしいから誰にも言わないでくれって…
いったい誰に内緒なんだか…

ダッ
ダダダ…
ガチャ
ガチャ
お、おい、待(ま)て…
ホラよ…
ガチャ
ジャー
え？
二人(ふたり)で？
ガチャ
バタン
間違(まちが)いないわね…
お姉(ねえ)ちゃんは何(なに)かを隠(かく)した…
ああ…

節水
このトイレの中のどこかにな…
でもこんな狭いトイレの中に隠しても、もう誰かに見つけられているんじゃ…
ああ…
節水
その可能性は高いけど……
ひょっとしたら何かが出て来るかもしれねーぜ……
奴らの手掛かりになる……
何かが…
ドン
ドン
おい、早くしてくれ!!
え?
ガチャ
また後で探すか…
バタン
ええ…

ハンバーガー
ヘイ、お待ち！
よかったらボウズ達も食べるか？
あ、いいよ別に…
ねぇ、その女の人が来た後、何か変わった事なかった？
ああ…空き巣に入られたよ…
それも二回もな…
空き巣？
何も盗られちゃいなかったがな…
大丈夫ですか？腹の具合…
ああ、何とか治まったよ…
それより問題なのはあっちの方だよ…
え？
…あの女性が来た後…
なぜか奇妙な事に…
奇妙な事に…？

!!
え?
しゃ…
社長!?

FILE.11 小さな密室に残された秘密

青酸カリ…
毒殺か…
ええ…
亡くなったのは出島壮平さん54歳…
このデザイン事務所の社長で…
昼食のハンバーガーをあの三人の社員の皆さんと食べている最中に…
突然苦しみ出して倒れたそうです…

で？ そのハンバーガーを買って来たのは？
あ、僕っス…
だったら、毒を仕込めるチャンスが一番あったのはあなたというわけですな？
ちょ、ちょっと待ってくださいよ!!

た、確かに私かもしれませんけど…
社長はハンバーガーを食べる前にクッキーをつまんでましたよ…
今井徹夫(52)
デザイナー
ホラ、机の上のコーヒーカップのそばに、空になったクッキーの袋があるでしょ？
あれ、私が台所から持って来たんですよ…
社長に頼まれてみんなのコーヒーを持って来るついでに…
なるほど…社長の道具に毒がついていたのならクッキーを食べた時にもう死んでいるというわけですね…
ん？
何だね、この薬は？
ああ、それ下剤っス…
社長…痔がひどくて、しょっちゅう飲んでたっス…
つまりその…
やわらかいヤツを出すために…
ホー…
でもたまに、飲み過ぎておなか壊していたよなぁ…
ええ…最近はよく…

そういえば、ハンバーガーを食べる前もそうだった…
急におなかをおさえてトイレに…
トイレ？
社長さんの前に誰かトイレに入らなかったのかね？
え、ええ…僕、入ったっスよ…

財津浮彦(41)
デザイナー

この子らが入ったんだから…
コ、コナン君じゃないか!?
それに、哀ちゃんと阿笠博士も…何でまた?
あ、いや…出島さんに用があって来てみたら…
たまたまこんな事に……
し、しかし、よく事件に巻き込まれる方ですね…
だんだん、あなたが毛利君に見えてきましたよ…
ハハハ…
それで?どっちが先に入ったんだい?
同時によ…
え?
二人でトイレに?
あ、だから…
小銭をどこかに落としちゃって…
もしかしたら、トイレのドアのスキ間から中に入っちゃったかなーって思って…
二人で探してたんだよね?
ええ…

お姉ちゃんが組織の目を盗んで隠した…

何かをね…

7

なに!?
どこからも毒物反応が出ない!?
ええ…
トイレ、廊下、仕事場、被害者が触りそうな場所からは何も……
妙なのは、被害者のズボンの右側と、ベルトの穴が空いている部分からは毒物反応が出たんです……
それと、被害者の左手の指先とハンカチ、食べたハンバーガーの包み紙からも……
でも、いずれも少量で、恐らく被害者が毒の付いた手で触ったんじゃないかと…
しかし、どうして左手だけに毒が…
……
そうか!コーヒーカップの取っ手だ!!
そこに毒を塗っておけば、クッキーを右手でつまんでコーヒーを飲む時に左手に毒が付着する!
そうすれば、その後トイレに行っても、扉の開け閉めは右手だから、トイレ内には毒は残らないというわけだ!
つまり犯人はコーヒーを持って来た今井さん、あなただと…
あ、いえ…

8

もちろんコーヒーカップの取っ手やクッキーの袋も調べましたが、毒物反応は出ませんでした…
あ、そう…
それに、トイレの水を流すレバーは左側にありましたし……
トイレに入る前に左手に毒が付いていたのなら、ズボンを上げ下ろしする時、毒は左側に付くと思いますけど…
じゃあ何でズボンの右側に毒が…
さぁ…
………
ねえ、社長さんってなんか癖とかなかった？
左利きだったとか…
ウーン、特徴といえばきれい好きで、コーヒー通だったって事ぐらいかな……
きれい好きでコーヒー通？
机に向かうと、まずウエットティッシュで手を拭いていたし…
社長好みのコーヒーをいれられるようになるまで、10年はかかったよ…
9
それと、この家を見張ってる怪しい人とか見なかった？
いや…二回空き巣に入られたけど…
それ以外は別に……
空き巣？
ええ…窓の鍵をこじ開けられて…
あ、哀君、まさかこの犯行…
ええ…

証拠を残さず目的の人物を抹殺し、霧のようにその姿を晦ます……
彼らのやり方に似てるわね…
お姉ちゃんがこの家に来た後で入った空き巣は恐らく彼ら…
ああ…彼女がこの家のどこかに何かを隠したんじゃないかと踏んで探しに来たんだ…
トイレの中にも盗聴器を仕掛けた痕跡が残っていたからな……
多分、一回目に探しに来た時には見つからず、一応盗聴器は仕掛けたが、
この仕事場の人達の会話から隠された物はないと判断して、二回目に忍び込んだ時に盗聴器を回収したってところかな？
でも今回の殺人は違うんじゃねーか？
いくら出島社長が組織の一員だったオメーの父さんの友人だからって、30年も会ってねーのに…
私がここへ来ると予測して父の友人を殺し、精神的に追い詰めるつもりだったとしたら…
どう？
目的は私……
バカ言ってんじゃねーよ！何で奴らにそんな事が…
感じたのよ…
杯戸町のデパートに行ったあの日…
10

薄れていく意識の中で…
な、
何だと!?
私を蔑むような冷徹な視線を…
じゃあ何でここへ来たんだよ!?
外に出ると危険だとわかっててどうして!?
知りたくなった…じゃダメかしら?
私の両親が本当に組織で噂されていたような人物かどうかを…
あの明るい、あなたのお母さんに会ったら無性にね…
でも、どうやら噂通り…マッドサイエンティストの父はともかく……
母は無口で陰気で何を考えているかわからない人だったみたいね…
バーロ…ただの噂だろ?勝手に決めつけてんじゃ…
知ってる?私の母が組織で何て呼ばれてたか…

ヘルエンジェル…

地獄に堕ちた天使…

さぁ、私の用は済んだから、事件なんてほっといて…

さっさとここから立ち去りましょ?

もっとも、立ち去るっていっても…

どこにも逃げ場はないかもしれないけど……

じゃ、じゃが、哀君のお姉さんがここのトイレに何かを隠したかもしれんのじゃろ?

それを見つけん事には…

あら、さっき工藤君が言ってた盗聴器の推理…

盗聴器でこの仕事場の人達の会話を聞いて隠し場所を特定し、二回目に侵入した時、それを見つけて盗聴器と一緒に回収したとも考えられるでしょ?

だからここに留まる理由はもう…
ホー……では空き巣に入られたのに、何も盗られていなかったんですな？
え、ええ…
でも社長はデザインを盗まれたと思っていたみたいっスけど……
誰かがこっそりデザイン画の写真を取って行ったんだと…
社長、昔からそういうのにうるさくて…
自分のデザインに似たのを見つけると、すぐにカッとなって……
今朝も怒鳴りに行ってたなぁ…
今朝も？
ああ…よそのデザイン事務所に「よくも私のデザインをパクったな！空き巣に入ったのはお前らか!?」ってね……
それはどこにある事務所だね？
杯戸町にある小さな会社っスよ！
私達はそんなに似ていないと止めたんだが…
おい、ひょっとしたら…
ええ…そのデザイン事務所に行った時に、何らかの方法で毒を仕込まれた可能性もありますね…
まあ、社長が怒るのも無理ねーよ…
デザインが真似されて蔓延したら、
すぐに飽きられてポイ捨てだからよ…

ポイ捨て…
ああ…空き巣といえば、あの後妙な事が…
妙な事？
急に出て来たんですよ！随分前に無くしたと思っていたシャープペンが…
そうそう、俺が愛用してた定規と一緒にな…

14

でもそれ、空き巣に入られる前じゃなかったっスか？
あれ？
そうだったか？
それより妙なのは、あの後の社長の方っスよ！
ん？
ああ…そういえば、それもあの頃からだったなぁ…

節水、節水って……
急に口うるさくなったのは…
節水
ホラ、トイレにも貼ってあったでしょ？「節水」って…
節水
おかげで仕事中にシャワーを浴びるのが禁止になっちゃって…
前はそんな事気にする人じゃなかったんだが…
そうか…
そうだったんだ……
ではそのデザイン事務所に案内してもらえますか？
ええ…
あ、じゃあ、ワシらはそろそろ…
いや…その必要はねぇよ…
え？

この殺人は、黒ずくめの奴らの仕業じゃねえっつってんだ…
恐らく犯人はあの人…
トイレをうまく利用して、出島社長を殺したんだ…
それに、お宝を目の前にして帰る手はねぇぜ…
え？じゃあ…
ああ…オレの推理が間違ってなかったら、まだ眠ってるはずさ…
あのトイレの中に…
オメーの姉さんが隠した何かがな!!

——名探偵コナン41・完——

名探偵
コナン
DETECTIVE CONAN

N SUPER YEAR 2003 DETECTIVE CONAN SUPER YEAR 2003
YAIBA］連載開始…
994年［名探偵コナン］連載開始……
突破記念企画!!
コナン
4月9日発売の
［名探偵コナン］41巻
で青山剛昌先生の
単行本総発行部数がなんと
1億冊を突破! これを記念して
少年サンデーでは、2003年を
［名探偵コナン・スーパー・イヤー］
と銘打ち、大キャンペーンを展開!!!
スペシャル企画続々登場!
キミは今、歴史の目撃者となる!!
SUPER YEAR 2003 DETECTIV

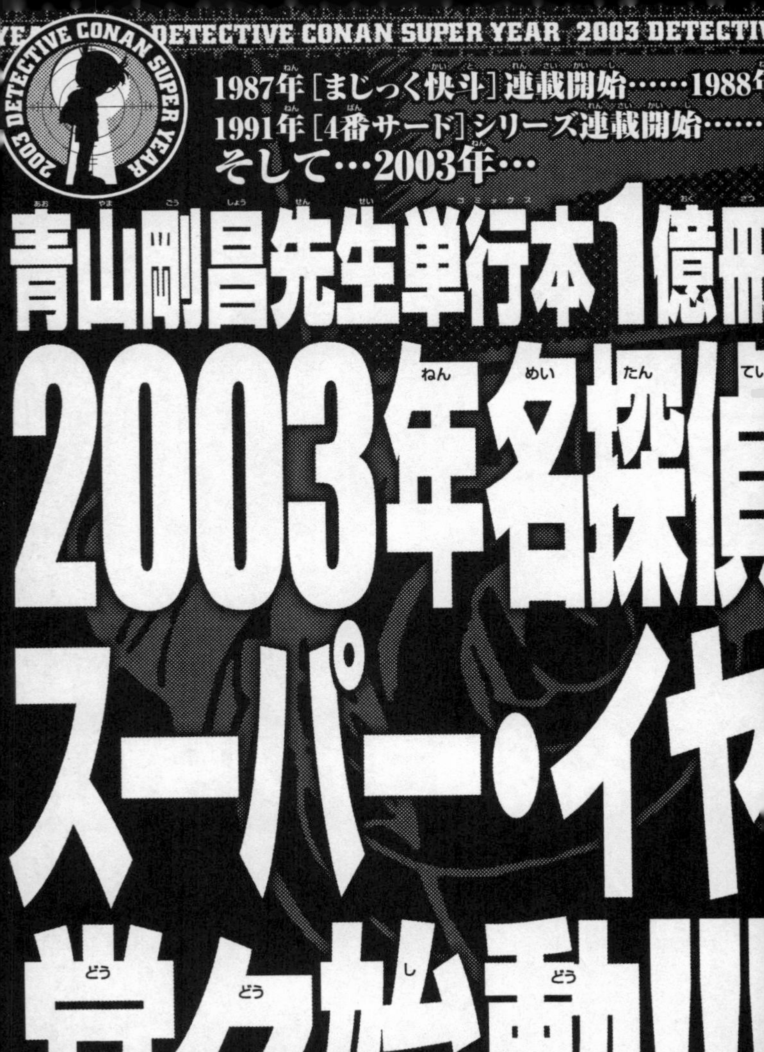

YEAR 2003 DETECTIVE CONAN SUPER YEAR 2003 DETECT

中! もっとコナンが好きになる!!!!!

My First WIDE SPECIAL

[名探偵コナン]

(セブンイレブン特別商品)
定価 本体573円+税

劇場映画を手軽に読める!!

超人気劇場版のアニメコミックスが、上下巻一冊になった! よりどりみどりの3タイトルが登場! セブン-イレブン特別商品で絶賛発売中!!

サンデー公式ガイド

[名探偵コナン]SDB

1冊で10巻分の面白さ!!

単行本10巻分をまとめたダイジェスト&ファンブック! これから[コナン]を読もうと思っている初心者から、もう一度[コナン]を振り返りたい上級者まで楽しめる充実の内容。+10&+20は既刊だ!

+10PLUS SDB

+20PLUS SDB

+30PLUS SDB

定価 本体571円+税

超豪華&最強ラインナップ 絶賛発売中!!

2003 DETECTIVE CONAN SUPER YEAR
名探偵コナン
DETECTIVE CONAN
ワールド加速

2003 DETECTIVE CONAN SUPER YEAR
DETECTIVE CONAN SUPER YEAR 2003 DETECTIV
続々登場！小学館が誇る
まだまだ続くぞスーパー・イヤー!!
どれも面白そうで迷っちまうぜ！
科学トリックは奥深い！友達をビックリさせたいキミには…
絶賛発
自由研究のアイディアが満載！ 好奇心旺盛なキミには…
6月20
理科の世界を楽しもう！ 探求心に磨きをかけたいキミには…
6月28
まんがで学力アップ！楽しみながら学びたいというキミには…
6月下
おいコナン！ちょっとお前、目立ちすぎてないかぁ？
2003 DETECTI

名探偵コナン㊶

少年サンデーコミックス

2003年5月15日初版第1刷発行　　（検印廃止）

著　者　　青　山　剛　昌
©Gôshô Aoyama　2003
発行者　　片　寄　　聰
印刷所　　図書印刷株式会社

PRINTED IN JAPAN

「週刊少年サンデー」2002年第52号～2003年第11号掲載作品
連載担当／鳥光 裕
単行本編集責任／飯田良弘
単行本編集／鳥光 裕／大橋ゆり子（アイプロダクション）

発行所　(101-8001) 東京都千代田区一ツ橋二の三の一　株式会社 小学館
振替(00180―1―200)
TEL　販売03(3230)5749　編集03(3230)5853

ISBN4―09―126411―5